人文武术精品书系

勿使前辈之遗珍失于我手

勿使国术之精神止于我身

薛颠

象形拳法真诠

武学名家典籍丛书

薛颠武学辑注

薛颠·著

王银辉·校注

象形拳法真詮

北京科学技术出版社

感谢王占伟先生收藏并提供版本

出版人语

武术作为中华民族文化的重要载体，集合了传统文化中哲学、天文、地理、兵法、中医、经络、心理等学科精髓，它对人与自然和谐共生关系的独到阐释，它的技击方法和养生理念，在中华浩如烟海的文化典籍中独放异彩。

随着学术界对中华武学的日益重视，北京科学技术出版社应国内外研究者对武学典籍的迫切需求，于2015 年决策组建了“人文·武术图书事业部”，而该部成立伊始的主要任务之一，就是编纂出版“武学名家典籍”系列丛书。

入选本套丛书的作者，基本界定为民国以降的武术技击家、武术理论家及武术活动家，而之所以会有这个界定，是因为民国时期的武术，在中国武术的发展史上占据着重要的位置。在这个时期，中、西文化日渐交流与融合，传统武术从形式到内容，从理论到实践，都发生了巨大的变化，这种变化，深刻干预了近现代中国武术的走向。

这一时期，在各自领域“独成一家”的许多武术人，之所以被称为“名人”，是因为他们的武学思想及实践，对当时及现世武术的影响深远，甚至成为近一百年来武学研究者辨识方向的坐标。这些人的“名”，名在有武术的真才实学，名在对后世武术传承永不磨灭的贡献。他们的各种武学著作堪称为“名著”，是中华传统武学文化极其珍贵的经典史料，具有很高的文物价值、史料价值和学术价值。

目前，“武学名家典籍”丛书，已出版了著名杨式太极拳家杨澄甫先生的《太极拳使用法》《太极拳体用全书》，一代武学大家孙禄堂先生的《形意拳学》《八卦拳学》《太极拳学》《八卦剑学》《拳意述真》，武学教育家陈微明先生的《太极拳术》《太极剑》《太极答问》。本套《薛颠武学辑注》收入了民国时期著名形意拳家薛颠先生于民国十八年（1929 年）至民国二十二年（1933 年）间出版的《形意拳术讲义》《象形拳法真诠》《灵空禅师点穴秘诀》三本著作，并附录金倜庵先生编著的《少林内功秘传》一部（该书讲解的易筋经练习法和少林五拳等内容对理解薛颠武学颇有帮助），共分为四册出版。薛颠对形意拳的贡献是继承和发扬，他的象形拳更是为形意拳独辟蹊径，他的几部著作，是形意拳研究和学习者不可绕过的经典。

这些名著及其作者，在当时那个年代已具有广泛的影响力，而时隔近百年之后，它们对于现阶段的拳学研究依然具有指导作用，依然被武术研究者、爱好者奉为宗师，奉为经典。对其多方位、多层面地系统研究，是我们今天深入认识传统武学价值，更好地继承、发展、弘扬民族文化的一项重要内容。

本丛书由国内外著名专家或原书作者的后人以规范的要求对原文进行点校、注释和导读，梳理过程中尊重大师原作，力求经得起广大读者的推敲和时间的考验，再现经典。

“武学名家典籍”丛书，将是一个展现名家、研究名家的平台，我们希望，随着本丛书第一辑、第二辑、第三辑……的陆续出版，中国近现代武术的整体风貌，会逐渐展现在每一位读者的面前；我们更希望，每一位读者，把您心仪的武术家推荐给我们，把您知道的武学典籍介绍给我们，把您研读诠释这些武术家及其武学典籍的心得体会告诉我们。我们相信，“武学名家典籍”丛书这个平台，在广大武学爱好者、研究者和我们这些出版人的共同努力下，会越办越好。

发愤著书（代序）

——2001年薛颠武学再现事件追记

庚子年（1900年）前，文化阶层约占全国人口的4%，那时看四书五经，识字便是知理，不是文盲，就一定是文化人。

庚子年后，废了四书五经，识字人日众，但文化阶层仍是4%，并无提高，欧美日学术汪洋灌入，错综复杂，难以辨析，文化门坎变高，识字不等于知理了。

在四书五经不再作为文化标准的时代，有些民众还认老理，出现一种奇特现象：有的人几乎是文盲，但接触他的人都认为他很有文化。民国武术家唐维禄近乎文盲，尚云祥将将能看报纸，凭着认识不多的字，半猜着看，如同中国人在日本街头能看懂告示牌的状况。

在新派人和老派人里，识字都不是有文化的标准了，老派人看，你的生活习惯、思维方式还是传统的，就是有文化了。唐维禄和尚云祥均被认为是比大学教授还文雅的人。

传统文化人要"发愤著书"，不是生了一肚子闷气而有了写书动力，"发愤"不是指在具体事上受了谁欺负，而是自认命薄，这辈子没有机会立功立名，那么就立言吧——发愤，是还有可努力的，那就努力吧。

“努力”一词不是清末时扒来的日文词汇，是唐朝高僧嘱咐徒弟的用语，要连用两遍，为“努力努力”，意思是“就是这个了，就是这个了，别弄丢了”。

习武人多属老派，老派人有发愤之志。李存义有一部著作，将前辈老谱和个人心得编纂在一起，友人帮忙成文，私家印刷本，传给嫡传弟子作身份证明，从未面世。尚云祥也有一部著述，友人帮忙成文，未印刷，稿本和手抄副本，(20世纪) 20年代末30年代初期，为防止泄露给驻京外国人而销毁。

历经战乱、政改、世变，李、尚著作希望还在世，或留惠于子孙，或当年帮忙成文的人留了底本，不必面世，还在就好。

薛颠则是另一种情况，他读书无碍，写文为难，由弟子润笔完成著书，没有泄密外国的顾忌。国难当头，他的观点是，公布于世后，对老祖宗的东西，中国人一定领悟得比外国人快，只要比外国人快就行了。

于是大写特写，全国发行，留下了今日可见的著作。

唐维禄老死乡野，尚云祥避官如避祸，从当年给薛颠著作写序的人看，他结交政界军界，多为翘楚，得到的社会信息不同，所以想法不同。

唐维禄没选择著书，选择当好传书的人，对师父李存义的那部私著，他全文背诵，传给我二姥爷李仲轩时，可以按页指明，哪页上都是什么话（此书二姥爷因遇难而失去，在《武魂》杂志谈起失书事后，有形意门派系声称他们还有）。

我年少时问过二姥爷，唐维禄既然能背诵、能识别段落，进一步把字一一认了，该是顺水推舟的事吧？二姥爷没解释，只说唐师傅“是没认成字”。年长后，看多了本应“顺水推舟”的事，往往都难办成。

比如薛颠著作。

听二姥爷说薛颠生平，感慨他武功盖世却命运多舛。二姥爷说，你多愁善感是你的事，跟薛颠没关系，戏台上的人物都是忽亨忽灭的命，既上了戏台，就是要忽亨忽灭。

薛颠亨通过，灭了很久。过世小五十年后，首谈他的，是我二姥爷，在《武魂》登文。开始时是谈着试试，比较谨言，放开谈，是受了《武魂》编辑常学刚先生支持，并以大魄力为此话题开了专栏。

常先生说过许多话，大意是，新一辈不知道薛颠了，看了《武魂》去问师父师爷，勾起老辈人记忆，才说说，年轻人没想到熟知的武林典故里竟然屏蔽了一位顶级高手，出于好奇心理，有了许多薛颠迷。

于是，南北间涌现了跟薛颠有关联的人，有的自称薛颠嫡传，有的说串有薛颠的东西，有的说师爷受过薛颠指点——都是好事，起码证明人间有过薛颠。

还有的说找到证据，薛颠在（20世纪）50年代未死，而是如“基督山伯爵”般假死遁身，按他的身体素质，至少活到80年代。网上发问：“80年代上中学时，如果知道薛颠还在世，跟自己在一个时间段活着，会惊着么?”

没敢答，确实惊着了——总之，是好事。神话薛颠，说明尘封半个世纪后，薛颠跟人间重又发生了关系。

常学刚先生是“顺水推舟”的推舟人，承蒙先生十几年过来，仍续善举，将薛颠旧作编辑合集。正视薛颠，应从此合集开始。

徐皓峰

我跟薛颠这几本书的缘分（代序）

薛颠先生跟我有缘，这缘分，就是他的这几本书。

二十几年前，我由体育杂志的记者转行到武术期刊《武魂》当编辑。隔行如隔山，两眼一抹黑的我，听老编聊起过薛颠，知道了此人本事和为人都透着怪，不但名字叫了一个“颠”，行状也是“身法快捷，有如鬼魅”，这些都给人遐想的空间。

薛颠成了我渴望了解的人，可在《武魂》的最初几年，并没有收到过关于薛颠的稿件，也没有人认真提他。这种情况，跟我知道的其他名人很不一样。印象中，凡那些武学高深、声名显赫的大家，几乎人人会有众多的追随者写文追忆，深入研究，或是弟子，或是同门，皆以与之有关联为荣。而这位薛颠，怎么就是个例外呢？

听说薛颠好像有后人或者传人在天津一带，曾托津门的朋友打听，结果不了了之，没个下文——似乎武林不曾有过薛颠这个人，这让我有些无趣乃至悲哀。

大约是1996年的二月，上海马胜利先生的泰戈武术发展有限公司，寄来一本《象形拳法真诠》，说这是经过广泛搜寻，很花了一些钱从海外拳家手中购回的，希望能够连载。马的来稿给我带来兴奋——原来还有人记得薛颠！

此文经删节后，在《武魂》上分三期刊出。这是我第一次直面薛颠的文字，而这与薛颠的“第一面”，却只能用“糟糕”二字来形容。

之所以“糟糕”，糟就糟在我对这本书“删节”的无知与草率，全书仅刊出了“总纲绪言”的部分内容，后面的“象形拳法真诠上编”飞、云、摇、晃、旋五法和“下编”的龙、虎、马、牛、象、狮、熊、猿八象则根本未涉及。好好一本书，删得七零八落，不成体系，一次让人重新记起薛颠、认识薛颠的机会，在我手下居然成了如此模样（行文至此，颇感愧对当年马胜利先生为传统武术文化传衍付出的一片苦心）。

与薛颠著作的首次交集，虽然局面难堪，让人心生愧疚，但我却也由此知道，传统是有记忆的，薛颠和他的拳，并没有消散成渐飘渐淡的烟。

以后发生的事情，愈发让我感到，以前自己曾经的悲观，实在是因为少见与寡闻。先是山西太原意源书社的崔虎刚、王占伟两位先生，根据他们搜集和珍藏多年的民国版本，率先印行了薛颠的《形意拳术讲义》，在拳友中辗转流传；继而意源书社又与山西科学技术出版社的王跃平老师合作，2002 年正式出版发行了薛颠《象形拳法真诠》和《灵空禅师点穴秘诀》两本书。这件事情，可以说是那个时期，武林界关于薛颠研究的大举动。这几本书，也成了《武魂》编辑部向读者推荐的传统经典。

但薛颠离开我们的视线太久了，很多年轻人，已经读不懂薛颠。尤其是《象形拳法真诠》和《灵空禅师点穴秘诀》，在《武魂》编辑部的书架上，很冷清了一阵。读者多数不知道这个作者是谁，不了解这是什么功夫！

薛颠其人其事，需要有人解读，现在还有懂薛颠的人么？

2000年11月，一位署名徐皓峰的陌生作者，发来一篇介绍形意拳老辈传承者李仲轩的稿件。没想到就是以这篇陌生作者的自由来稿为发端，《武魂》用将近七年的时间，陆续刊登了由徐皓峰整理的李仲轩稿件28篇。李先生的这些文章，并无编者与作者事先的沟通和预约，完全是作者随心所欲写来，但在每一篇来稿中，编者常会有意外的发现。在编辑2002年第10期的那篇《“一个头”见薛颠》时，我看到“我的第一个老师是唐维禄，最后一个老师是薛颠”这句话，既喜且惊，谁能想到，正在我们苦寻解读薛颠者而不得之时，会出现一位薛颠的弟子，以年近九十的高龄，为后学讲述他所了解的薛颠。这真是想什么来什么！此刻，你不能不惊叹中华传统文化精髓的顽强生命，不能不信服冥冥之中固有的机缘。

《武魂》是李仲轩系列文章的最初刊载者，之后这些文字，被徐皓峰先生整合成册，定名为《逝去的武林》；再后来，徐先生又将据仲轩老人口述整理的《象形术探佚》，披露连载于《武魂》2009年第9期至转年的第2期，以后成了徐皓峰的另一部书《高术莫用》里的内容。两本书的出版，一时在武林轰动。

关于薛颠，李老写得绝对独家：

他是结合着古传八打歌诀教的，蛇行是肩打，鸡形是头打，燕形是足打，不是李存义传的，是他从山西学来的。

薛颠管龙形叫“大形”，武林里讲薛颠“能把自己练没了”，指的是他的猴形。

薛颠传的桩功，一个练法是，小肚子像打太极拳一般，很慢很沉着地张出，再很慢很沉着地缩回，带动全身，配合上呼吸，不是意守丹田，而是气息在丹田中来去。打拳也要这样，出拳时肚子也微微顶一下，收拳时肚子微微敛一下，好像是第三个拳头，多出了一个肚子，不局限在两只手上，三点成面，劲就容易整了。

站桩先正尾椎，尾椎很重要。脊椎就是一条大龙，它有了劲力，比武时方能有“神变”。

薛颠说四维上下，不是玄理，而是具体练法。“内中之气，独能伸缩往来，循环不已，充周其间，视之不见，听之不闻，洁内华外，洋洋流动，上下四方，无所不有，无所不生。”这已是形意的妙诀了。

在仲轩老人的笔下，原本模糊一团的薛颠，清晰了许多。仲轩老人的话，也让更多的人，打开了尘封多年的记忆：

“肩窝吐气”是薛颠讲过的练功口诀。气者，劲也。肩窝是张嘴，对着手臂吹气，劲就到了指尖。站桩、打拳都要这样。

薛颠说：形意拳只练向上的劲，从不练向下的劲，松了自然有沉劲。“蓄”，练收，含着劲打拳，所以练功架是不发劲的。“含着劲练拳，兜着劲打人”。

打劈拳是，“肩井”如瀑布一样倾泻而下，是“重力”。对应“肩井”的是“涌泉”。打钻拳时，“涌泉”似喷泉般向上涌出，身势借着这股势头钻出。

刘奇兰这一系的河北形意拳，原先以五行拳为主，并不重视十二形，但薛颠自李振邦处重新引进了十二形，在他之后，河北形意拳又开始学习十二形。

薛颠另一个重要的贡献即是创象形拳。他提出“飞云摇晃旋”五法，为形意拳另辟新径。

如此种种，精妙纷呈，薛颠的武学，重新在人们的心中复活了！

后来，再回人们视线的薛颠，让《武魂》读者服务部书架上他的书，成了读者关注的热点；再后来的 2007 年，山西科学技术出版社将薛颠的这三本书合集出版，我有幸成为了该书的校点者。

今年（2016 年），北京科学技术出版社又将薛颠的著作，以新的注释、新的校点、新的版式、新的装帧向武术读者隆重推出，早已从《武魂》杂志退休的本人，再次有幸参与其中。回想二十年来，笔者亲眼目睹了薛颠先生这三本书由湮没无闻到名动武林的过程，不由得心生感慨，遂写了上面的文字。

常学刚

导读

薛颠（1887—1953 年），字国兴，号页真子，河北束鹿县（今河北省辛集市）人。薛颠先生是民国时期的武学大家。先生在青年时期，曾师从李存义、薛振刚、李振邦，学习形意拳。中年时，又访到灵空禅师学习象形术。李振邦是形意拳宗师李洛能的嫡孙，灵空禅师是山西五台山南山寺的得道高僧。

薛颠先生主持天津县国术馆教务时，在练功和教学之余，勤于著述，经过苦心经营，将武术绝学形之于文字，这就是他的多本皇皇武学巨著。先生的武学著作，对形意拳、象形术的拳理、拳法进行了全面、系统、详细的讲解，将各种内外功、伤科治法和秘方和盘托出，贡献于社会。其文笔力雄健，文采飞扬，自信十足；分析、论述精辟老到，直指要害，有独特的语言风格，表现出深厚的文化修养、高超的功夫水平和源远流长的武学传承，给我们留下了宝贵的文化遗产。

然而，由于时代的隔阂以及语言、文化和知识结构的差异，现在的一般读者要想真正读通、读懂薛颠先生的著作是很困难的。因此，全面、严谨的点校、注释工作就显得十分迫切和重要。

第一，原著出版发行的那个时代，还没有成熟的标点符号体系，所以当时的断句和标点有很多的混乱。尤其是各书前的序言，虽然有很高的研读价值，但是完全没有断句，严重妨碍了读者的阅读和理解。这次对全书所有文字进行了严格、细致的点断，并根据句意、文意及各句、各部分之间的逻辑关系，加上了恰当的标点符号。

第二，原著是用文言文写成的，尤其是各书前的序言，都很艰深，时不时出现古奥的用词、用典，这对于习惯了现代文阅读的读者而言，又是一个巨大的障碍。将文言文按照现代文来理解，极易曲解作者的原意，甚至闹出笑话。因此，这次对全书难解的字、词、句、篇进行了密度不一的注释，艰深的地方注释密度大一些，相对浅易的地方注释密度小一些。对于特别艰深的篇章给出了全篇释文。对于原著的用典及引用的古语，最大限度地将其出处、原意和本书用意呈献给读者。对于原文中前后互文的关系及承前省略的内容，也都尽量揭示给读者。

第三，薛颠先生在写作《形意拳术讲义》时，将全本《李洛能形意拳拳谱》作为形意拳的理论根据和练习规范，有机地插入该书各章节中，为我们保留了《李洛能形意拳拳谱》的一个珍贵版本。这次校注对于书中来源于《李洛能形意拳拳谱》的文字均予以指出，以便于读者辨别哪些是拳谱的摘录文字，哪些是薛颠先生的原创文字。

以前的所有各名家的形意拳著作，包括薛颠先生的这本《形意拳术讲义》，在使用拳谱时只是引用而不加解释。这次尝试对书中引用的拳谱部分进行了高密度的注解，有很多篇章做了逐句解释。这是一个巨大的挑战，还望各位学者、专家提出宝贵意见，以便不断改进。古人流传下来的拳谱拳经，若不加解释，永远只不过是沉睡的镇箱之物。

第四，原著有一些文字和插图上的失误。如《灵空禅师点穴秘诀》中的药方、药名存在错误。再如《形意拳术讲义》中“鹘形回身”拳照与“鹰形回身”拳照，互相放错了位置。还有某处的两个字也是互相放错了位置，这次都发现并指出来了。

对于失误的字、词、句，都尽力找到并指出来加以改正。用“应为”“当为”“疑为”“疑当为”分别表示点校者的肯定、商榷、推测和揣测等不同语气。如“雷火风：应为‘雷火丰’”“赤芎——当为‘赤芍’”“遍成毒：疑为‘逼成毒’”。

以上将《薛颠武学辑注》的标点、校订和注释工作进行了简单的介绍，唯愿校注者的努力能为现在的和将来的读者朋友扫除阅读和理解的障碍，让大家都能顺利地享受前人给我们留下的文化遗产，也让前人的著作抖去历史的灰尘，像颗颗明珠，永放光芒！

王银辉

燕南薛顛著

象形拳法真詮

趙元禮題

序

國民習于弱，始歸咎于體力之不強，國俗皆右文，乃慨嘆于武學之不振，嗚呼惑已，夫熊經鳥伸，傳自上古，少林武當，拳家輩出，吾華武術，豈真后人，顧諳武事者，或則粗野無識，惟知以力凌人，或則秘而不宣，惟恐以武犯禁，馴致御侮強身之術，起衰立懦之功，不能傳之人人，漸成此萎靡無氣之風習，滋可惜也，我友薛君顛，河北奇士也，精技擊，通內功，復能不吝所知，欲盡所學之秘傳，筆之于書，公之當世，前曾著形意拳講義出版，早已風行南北，紙貴洛陽，近復著象形會真一書，于擊刺騰閃之法，俯仰進退之方，罔不詳晰指明，便人人無師自習，取象于獅熊猿鶴，而歸本于練氣練神，蓋術也而進乎道已，予於武學一無所曉，力不能縛一鷄，而薛君樂與予談，且示此編囑為之序，予將何以為言哉，惟期此書一出，青年有志，人手一編，修養身心，共臻強固，更願海內武學家，人人能志薛君之所志，各出其不傳之秘，以牖民

而覺世，俾國人共同研習，體力資以鍛煉，一洗從前荏弱不振之習，蔚成國民知方有勇之風，則薛君此編，功用將影響全國，不其偉歟

民國二十二年二月湘潭吳家駒

序

自歐西火器，輸入中國，而拳勇刺擊之學，遂廢不講，夫文明國民，各有其獨精之技能，爲世罕覯，尠如日本尙能傳其柔術，以誇於世，如中國之大，乃於先民所遺武術，罔知研索，是誠有心人重爲太息者矣，薛君顚手著是編，蓋參會華氏五禽經，而得其奧者，學者神而明之，足以却病延壽，用人勝天，視世所謂武術者，又高出百倍，茲以求之者衆，乃付手民，以公於世，所以振國民之精神，健青年之體育者，吾知其未有艾也，爰綴數言，以志景仰，

中華民國二十一年歲次壬申九月湹陽張廷爵撰

序

蓋聞德育智育體育三者爲立身之要術亦治國平天下之大經凡古往今來之大英雄大豪傑莫不根基乎此然物有本末事有終始諺云欲爲健全之事業必具健全之身心所以士欲充其德智而成大英雄豪傑以平治天下國家者必先由鍛鍊身心始吾國體育一道發明最早起自伏羲畫卦內運先天之炁以存意外象鳥獸之勢以爲形意象交修而內外固矣厥後鍛煉身心之術代有發明如華陀之五禽戲宋元之南北宗是也然大半言術不言理率多知其然而不知其所以然惜乎愈傳愈訛迷入歧途而終身不返甚者欲益反損求其能身心交修易理透澈者不可多覯誠可痛惜即或間有一二傑出者得其竅要然非心性褊狹即粗鄙不文其教於人也語焉而不詳傳焉而不精使學者迷離惝怳如墮雲霧而欲登堂入室亦已難矣邇來我國鑒於人

民之日弱國家之式微遂竭力提倡國術以資圖強然教者雖多精者殊尠吾師薛公號顛原籍河北東鹿縣人天資既深造詣尤宏曾受業於虛無上人親承口講指畫面壁十稔盡得三昧所談皆易理易數所演皆象勢象形全革花勢浮文之俗套闡揚禪理發爲武術學者一經指授莫不洞明竅要不但僅能鍛鍊身體且可由此明心見性小之則能獨善其身大之可以兼善天下倘能人人明而習之又何憂身之不健而國之不強乎吾師苦口婆心設館授徒雖盛寒暑不輟然猶恐不能普及全國流傳久遠復發爲文章著象形術一書以廣播揚其用心深遠良可欽仰捷親承教益微有心得又承囑爲謄寫付梓用特不揣作序以介紹於有志之士希共登道岸云

中華民國二十年十月受業門人盧克捷謹序

自序

法曰　虛無上人法號靈空　五台南山卓錫崇峯
花甲兩度其顏猶童　求眞訪道三教精通
參贊古易象理禪宗　以術延命普渡衆生
負荷玆道傳之無窮

開維鍛鍊身心術亦多矣創於古者爲熊經鳥伸呴吸導引華陀氏之五禽戲是也盛於今者爲各項運動孫唐氏之體操法岡田氏之靜坐法是也然前者去古彌遠久失眞傳後者膚淺平庸不足爲訓吾人生當晚近不及私淑古人欲求一性命精修之道誠有如暗室中摸索纖微之物終於取得無從豈非恨事就令有一二師資出而任此啟承重責往往因遇非其人不肯輕予授與或雖遇其人而機緣不合非淺嘗輒止廢於半途即務廣而荒莫精一技甚至愈演愈遠歧而又歧不惟身軀無自健全且有病

害中於肢體終身成爲廢疾者比比皆是詎非至可痛心者乎吾師虛無上人法號靈空卓錫五臺功行圓滿已得上乘法而猶以不獲造極普濟羣倫爲歉年高已至花甲兩度仍徧歷二十四省名山大川尋師訪道積時既久爰本夙得三教眞旨之竅奧精研內家外家之功運用先天固有之眞培養後天有象之體近取諸身遠取諸物推演變化妙極神明內運其意外發其象象由於意致意實在於象先故象形者即誠中形外意也蓋有象而外全非眞象無意之中確有眞意法曰有象有意不成妙意即象即意不可思議此非淺造者所能領會萬一也吾師以先知先覺之資負啟導後知後覺之責迷途指徑正路可由倘習斯道者眞能悟其眞意運彼性靈通其變化內外和合而神完精烝堅凝而性定健行不息效用漸積而宏大其身有不健壽有不延者無是理也顚不敏親炙於吾師之門幾易葛裘雖精究其法術愧仍未盡其神化但恐斯道自我得之復自我失之上無以對吾師下無以慰同好特草是編以公世人並爲吾師廣播善緣耳是爲序

中華民國二十一年東鹿縣薛顚著於天津國術館

凡例

一 是編象形術爲修身而作發源於蒼頡造字伏羲畫卦取象於數理立體於卦象作象形以却病苦內易外象形容盡致是體育入道之法門也且此術以修養胆力爲主腦以衛國保民爲宗旨

一 是編標舉象形之提綱要領條目井然按次習之是無錯謬

一 是編首述總綱象形會眞原理自虛無含一炁無象而至於有象發源說起將身體立正（此謂無極勢）再向左姿勢附焉此章乃五法八象之基礎亦開宗明義之第一聲也

一 是編由先天無極之勢說起自第一章飛法至第五章旋法十九節是五法上編下編標舉八象化生萬億之法身由震卦第一章龍象發起至坤卦八章猿象四十節是爲下編此書上下兩編合册貫爲全編其中伸縮進退及生尅變化之功言之綦詳依法練習莫使紊亂則象形術之表裏虛實無不到全體大用無不明矣

一 是編此術之精意取法於數象數勢而演之其法身有精微奧妙之玄機鬼神不測之妙用學者心能証悟功用庶幾有得可能明萬象綱領即道云得其一而萬事畢矣

一 是編標明象形之原理及其效用摹仿各物形象則精神態度之畢肖法合一氣更覺無窮神奇之功用焉

一 是編文字簡單明白如話練習極易功效最良係順天地自然之道運用一種至大至剛之氣實爲由體育入道不二之法門但言詞力求淺近以叙明象形之實益學者幸勿以言之無文相譏誚也

一 是編象形術之性質及其運氣易筋洗髓之要法練習既久不但四肢軀幹可爲擊人之工具即口中所出之聲及身上所發之電均能摧敵於數步之外豈待衝鋒肉搏然後有勝敗之分歟換而言之此乃精神之爲用也（言以離奇實習則明）

一 是編以虛無上人之法傳垂之文而爲後世法童子練之則身體可得充分之發育老翁習之可得矍鑠之精神一無努力傷氣之害二無曲體折腰之苦三無躍高冒險之危且手舞足蹈無須乎短服挽袖雖常服大衣亦可作運動之姿勢實拳術中最儒雅之事也古聖之喻言一旦公之於世學者幸勿以尋常武術視之

一　是編有口令之規定及成排成連之教授不獨個人可以練習即數十人數百人亦可排成隊伍同時教之人數愈多教練愈有興趣如各軍旅全體練習武術則人人有蓋世拔山之氣力衛身衞國之精神何愁不能殺敵致果戰勝攻取耶

一　是編圖解詳明瞭如指掌決無望洋興歎之弊學者果能手置一册循序漸進勤學不息則由淺入深自可入室升堂得國術三昧以鳴於當代傳之後世焉但自作聰明任意改變則差之毫釐謬之千里甚者入迷途發生疾病者尤不可不注意焉學者其按部就班毋蹈斯種覆轍爲要

一　是編各勢象皆用詳細繪圖使學者能按圖入手模仿實力做去易理久則自明奇效必得非紙上談兵之虛言也

象形拳法真詮目録

象形拳法真詮上編

象形拳法真詮下編

八象合卦目錄

緒言

自伏羲畫卦闡明陰陽遠取諸物近取諸身始作八卦象生其中嗣命陰康作大舞戲舒展肢體循還氣血以愈民疾黃帝作內經採按摩導引諸法以却病苦老子講性命學成道教鼻祖釋氏談慧命旨成西方之佛孔子論天命之性而易行乎中莊子吐故納新合於呼吸熊經鳥伸以求難老漢華陀氏因而推廣作五禽戲（虎鹿熊猿鳥）運動鍛鍊身心以強精神此皆古聖發明體育之由來也今之講體育者不能參贊古聖之旨言術不言理言勢不言意視擊技爲無用不以作鍛鍊身心之大道已失體育之原理矣且人生日食五穀又有七情六慾之薰心榮衛失宜六氣所中氣血凝聚而成疾青年人往往而夭壽良可痛惜也此書是編釋明古聖眞意作象形術以倡其道使人四體百骸運動而象其形效其靈性悟其眞意通其造化以除疾病是故延壽莫大乎法象變通莫神乎心意象以道全命以術延道則爲體術則爲用性命雙修之法門盡在於斯學者至誠不息而深思默悟得之於身心用之則行舍之則藏則終身用之不盡也

法曰　伏羲畫卦首明陰陽　取之身物卦象昭彰

陰康大舞民體健康　黃帝內經却病良方
道家吐納禪定坐忘　孔言天命語極精詳
漢氏華陀象理闡揚　五禽游戲俾人健强
象形取義道啓康莊　命以術延道以人昌
勿忘勿助至大至剛　精修性命云胡不臧

第一章

第一節　武藝道藝分論

蓋夫武術一途，分內外兩家，有武藝道藝之稱，練武藝者，注意於姿勢，而重勁力，習道藝者，注於養氣而存神，以意動，以神發也，茲分述如下，

(甲)練武藝是雙重之姿勢也，兩足用力重心在於兩腿之間，全身用力，用後天之意，一呼一吸，積養氣於丹田之內，而吸收其有益之成分，久之則身體堅如鐵石，站立姿勢穩如泰山，一旦與人相較，起如鋼銼，落如鈎竿，起似

伏龍登天，落如霹雷擊地，起無象，落無踪，起意好似捲地風，束身而起，長身而落，起如箭，落如風，追風赶日不放鬆，拳經云，足擊七分手打三，五營四梢要合全，氣連心意隨時用，硬打硬進無遮攔，此謂之濁源，所以爲敵將之武藝，固靈根而動心是也，若練到登峯造極至善處，亦可以戰勝攻取無敵於天下也，

(乙)練道藝者，是單重之姿勢也，一足用力，前虛後實，重心在於後足，前足可虛亦可實，心中不用力，先要虛其心實其腹，使意思與丹道相合，進退靈通，毫無阻滯，進則如弩箭在弦，發出直前而行，退則如飛鳥歸巢，飄然而返，勇往迅速絕無反顧遲疑之狀態，且練習之時，心中空空洞洞，無念無想，其姿勢雖千變萬化然，不勉而中，不思而得，所謂從容中道者是也，偈曰，拳無拳，意無意，無意之中是眞意，心無心，心空也，身無身，身空也，釋迦所謂，空而不空，不空而空，是謂眞空，其殆道藝之學不二法門歟，蓋靜者動之基，空者實之本，心中空虛則靈不昧，有大智慧，大明悟發生，如有人來擊，心中並非有意防範，然隨彼意而應之，自然有堅決之抗力，靜

爲本體，動則爲用，正是此意也，蓋拳發三節，無有象，如有象影不爲能，隨時而發，一言，一默，一舉，一動，行止，坐臥，以致飲食之間，皆是用，所以無入而不自得，無往而不得其道，以致寂然不動，感而遂通，無可無不可，此是養靈根而靜心者之所用也

第二節　初學規矩

練拳術，應循規蹈矩，不可固執己見，致有偏枯之弊，若專從力之方面發展，則爲力所拘，專從氣之方面發展，則爲氣所蔽，專求沉重則爲沉重所捆，專求輕浮，則爲輕浮所散，總之氣血並重，性命雙修，循序漸進，自強不息，久之則神意歸於丹田靈炁貫於腦海，其身體自然能輕，能重，輕則身輕體健，行走如飛，重則屹立如山，確乎不拔，蓋練神還虛則身輕如羽，氣貫湧泉則重如泰山也

第三節　初學三害

練武術，有當注意之三害，三害不明，練之足以傷身，學者，能力避三害，

非特體魄強健，而且力量增加，勇毅果敢，並能神清氣爽，明心見性，直入道義之門，三害者爲何，一曰拙力，二曰努氣，三曰挺胸提腹，拙力者用力太笨，氣血凝滯，以致血脈不能流通，筋骨不能舒暢，甚至四肢拘急，手足不能靈活，浸假而虛火上炎，拙氣滯滿胸臆，及肢體凝滯之處，或細胞爆烈變成死肌，或結爲癥瘕，貽害終身不可不愼，努氣者，力小任重，或用力太過，以致氣滿胸膈，壅滯不通，其氣管往往有爆烈之慮甚至氣逆肺炸或不治之痼疾者，亦數見不鮮，挺胸提腹者，氣逆上行，不能降至丹田，兩足似浮萍之無根，重心不定，身體搖動不安，譬如君心不和，百官失其位，拳術萬不能從容中道，練習時，務要將氣降至丹田，以直達於湧泉，然後身體屹立如山，雖有雷霆萬鈞之擊，不能撼動其毫釐，學者，果能明三害，力爲矯正用九要八論之規矩，勤加鍛鍊，循序漸進，以至升堂入室而得拳法三昧是爲入道，學者，其各注意焉，

第四節　樁法慢練入道

觀夫世之進化，每種事業，無不先立基礎而後進展，基礎固，則進步速，拳術之道，尤宜先立基礎，故初學，以樁法爲始，一曰降龍樁，二曰伏虎樁，練此樁法，先要虛其心，涵養本源，以呼吸之氣下貫丹田，而充實其腹，慢慢以神意運動，舒展肢體，使氣血循環週身，流通百脈，臟腑清虛，筋絡舒暢，骨健髓滿，精炁充足，而神經敏銳，故謂之養基立本，此樁法慢練增力之妙法也，諺云，本固枝榮，儒謂本立而道生，以後無論操演何種拳勢，精意莫不本此，雖起初不得妙境，久而久之心領悟會，不難妙極神明，否則不依規矩，操之過急，四肢必生銼折之苦，雖費神勞力而不得佳果，樁法慢性之鍛鍊，係順天命之性，合乎自然之道，一動發於性，一靜存於命，偈曰，靜爲本體，動則作用，正是會意形象之法門，而道蘊藏其中矣，急練求之者，難得其中實益也，

第五節　三層道理

(一)練精化氣(二)練炁化神(三)練神還虛（練之以變化人之氣質復其本然之眞也）

第六節　三步工夫

(一)易骨，練之以固其基，以壯其體，雖老年人，可減少其石灰質，而增加其彈力性，肢體骨骼，堅如金石，重如山嶽，有時意輕輕如鴻毛，意重而似泰山，

(二)易筋，練之以騰其膜，以長其筋，俾伸縮力，逐日增加，有拔山蓋世之氣，奮發有爲雄飛於世界，雖血虧氣弱之病夫，一變而爲銅筋鐵骨之壯士，豈非易筋云乎哉，

(三)洗髓，練之以減其重量，增其彈力，輕鬆其內部，活潑其運動，俾骨中清虛靈活而身輕如羽，體健似金剛矣，

第七節　三種練法

(一)明勁，練之有一定之規矩，身體動轉要和順，而不可乖戾，手足起落要齊整而不可散亂，方者正其中，即此意之謂也，

(二)暗勁，練之以充實其丹田，使肢體堅如金石，但神氣要舒展而不可拘，

運動要圓通，活潑而不可滯，圓者應其外，正是此意也，

(三)化勁，練時周身四肢動轉進退起落不可着力，專以神意運用之，惟形象規矩，仍是前兩種，不可改移，但順其自然之程序，勿忘勿助，一氣貫通而已，三廻九轉是一勢，即此意也，

第二章　九要

第一節　三弓

脊背相弓督脈上昇，兩肱相弓出勢速猛，兩股相弓進退靈通，故謂之三弓，

第二節　三垂

肩要下垂氣力貫肘，肘要下垂力氣至手，氣要下垂丹田養守，故謂三垂，

第三節　三扣

膀扣開胸精氣上升，陰氣下降任脈通行，手足指扣周身力雄，故謂三扣，

第四節　三圓

脊背形圓精炁催身，身形勢圓旋轉通神，虎口開圓剛柔齊伸，故謂三圓，

第五節　三頂

頭上有頂衝天之雄，手上有頂推山之功，舌上有頂吼獅威容，故謂三頂，

第六節　三擺

兩肘要擺擺肘保胸，身形宜擺擺身形空，膝擺步坳旋轉靈通，故謂三擺，

第七節　三挺

挺頸貫頂精氣上通，勢若挺腰氣貫四梢，一身抖挺力達九霄，故謂三挺，

第八節　三抱

膽量抱身臨事不亂，丹田抱氣氣不外散，兩肱抱肋出入不繁，故謂三抱，

第九節　起鑽落翻要義

起要勢鑽，落要勢翻，起要勢橫，落要勢順，起爲橫之始，鑽爲橫之終，落爲順之始，翻爲順之終，起鑽落翻，四字理分淸，

第三章　八論

第一節　論身

前俯後仰，左側右斜，正而似斜，斜而似正，陰即是陽，陽即是陰，

第二節　論肩

精氣貫頂，肩要下垂，兩肘齊心，手勢相隨，身力至手，肩肘所催，

第三節　論肱

左肱前伸，右肱揝肋，似曲不曲，似直不直，曲相弓形，出用返方，

第四節　論手

右手在肋，左手齊心，兩手陰陽，用力前伸，手隨身動，勢出宜迅，

第五節　論指

五指各分，形相似鈎，虎口圓開，有剛有柔，力要至指，須從意求，

第六節　論股

左股在前，右股後撐，似直不直，似弓不弓，進則用力，股如返弓，

第七節　論足

左足直出，右足斜橫，步法莫紊，前踵對脛，兩足旋轉，足指扣定，

第八節　論轂

轂道提起，氣通四梢，兩髋轉動，臀部肉交，勢隨身變，速巧靈妙，

法曰 九要八論理要明 生尅變化有神通
學者悟通玄中妙 心意象形任性行

第四章 四梢

第一節 筋梢

爪爲筋梢，手足指功，手抓足踏，氣力兼並，爪之所至，立生奇功，

第二節 骨梢

齒爲骨梢，有用在骨，切齒則發，威猛如虎，牙之功用，令人膽悚，

第三節 血梢

髮爲血梢，怒髮衝冠，血輪若轉，精神勇敢，雖微毛髮，力能撼山，

第四節 肉梢

舌爲肉梢，捲則降氣，目張髮豎，丹田壯力，肌肉像鐵，臟腑充實，

法曰　四梢之威理要研　精神勇敢力摧山
　　　若明四字玄中妙　神意光芒氣綿綿

第五章

第一節　六合

六合有內外之分，內三合，心與意合，意與氣合，氣與力合，外三合，手與足合，肩與胯合，肘與膝合又曰，筋與骨合，皮與肉合，腎與肺合，頭與手合，手與身合，身與足合，又謂之內外三合，總而言之，合則謂全身法相，即是神合，意合，精炁合，光線芒芒神光四射，一氣貫通而謂之眞合矣，

法曰　心要虛空精神要堅　意要安怡氣要混元
　　　神光耀射光線綿綿　全體法相無處不然

第二節　八忌歌訣

1出拳高舉兩肋空　2絕力使來少虛空
3力猛變遲傷折快　4臂肱直伸無返弓
5身無樁法如竿立　6相擊易跌一身空
7怒騰氣昇血冲腦　8心智變動不機驚

第三節　八性

八性者，即抓撲抖撳截掛舒綿是也，抓者，如飢鷹之抓物，撲者，似狸貓之向前之撲鼠也，抖者，一身之力如猛獸之抖毛，撳者，即托起，平托，高托，左右相托也，截者，是揆住不讓敵人手足發出也，掛者，乃是掛住敵人手足不能退回，或左掛，右掛，使一身不得中和之力也，舒者，伸開，於鳥之抖翎，展翹抖搜擻法也，綿者，柔也，柔中有剛，如沾綿聯絡相隨之意也，

第四節　論步

(甲)寸步，在前之足不退，向前進步。後足蹬力，催前足，又謂之墊步此着之用，爲敵所逼，無暇換步，方取此捷徑，以制敵所不備，以其全用寸力，故曰寸步，路線圖如左

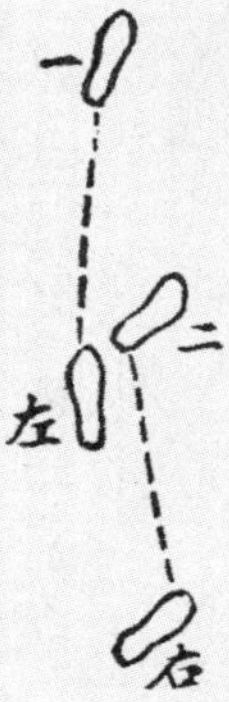

(乙)蹦步，前足先進，後足一直向前大進即進之足復爲後跟，以其步法連環，故曰蹦步，路線圖如左

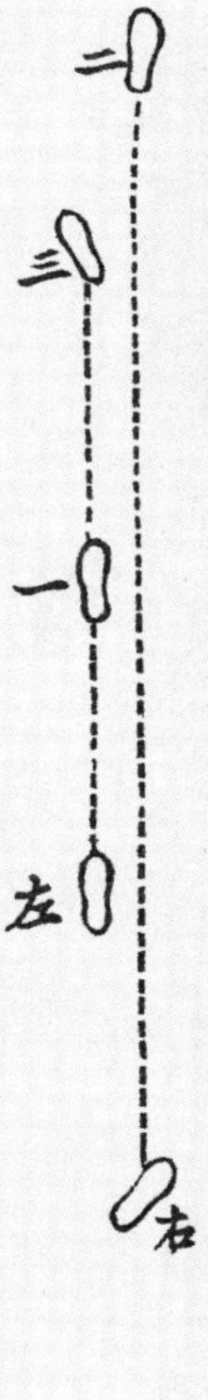

(丙)弓箭步，兩足斜丁勢，前足着地，足心懸起，五指抓地，骹似半圓形勢，後足尖着地，足根欠起，膝蓋下跪，骹似曲弓，即返弓，因其兩骹似

弓，其要點全用後足尖往前放力催身，此步用途最廣，消息全憑後足蹬，故曰弓箭步，路線圖如左

圓圈印足尖着地之足左右進步換勢皆依此類推

(丁)三角步，進退皆以三角勢，或左右，或進步，抽撤無方，行踪無定，以其進退曲斜，故曰三角步，路線圖如左

三角步圖

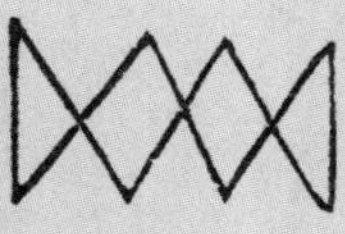

進退無定形踪飄忽皆依三角路線圖推演

（戊）八字步，左足在前，右足在後之姿勢，向右轉爲順步勢，回身先以左足向右足外合勁扣步，扣成八字形勢，路線圖如左

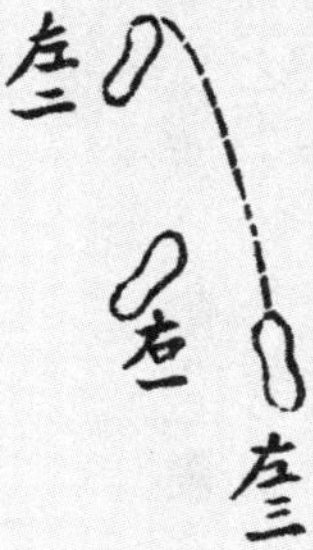

此右一左二之足勢如向左轉爲進步回身，將右足進步，向左足外，往裏合勁，扣步與左足成八字形勢，路線圖如下，

進步路線

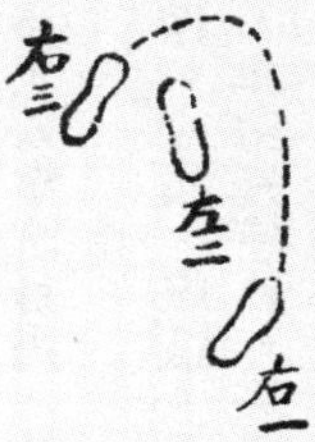

以上兩節皆是左足前，右足後之換勢，如右足前，左足後，換勢，亦依前兩節類推，故謂之八字步，八字之妙用，轉勢換身，最靈巧之步法也，學者，默悟生化無窮，

(己)蹤跳步兩足之動作，或高，或遠，平行而飛，或二三尺，數十尺不等，蹤跳步最難練習，非功夫純熟，身輕如猿，象似飛鳥，不能得其要素，學者得其眞意，須以猿象中，恒心而研究焉，

第六章

第一節 陰陽

陰陽，動靜，剛柔，虛實，一陰，一陽，一動，一靜，動而生陽，靜而生陰，動之始則陽生，動之極則陰生，靜之始則柔生，靜之極則剛生，動而生陰陽，靜而生剛柔，虛實，則陰陽動靜之機，剛柔則一動一靜之理，一陰一陽之謂道，生生之謂易，成象之謂乾，效法之謂坤，通變之謂化，陰陽不測之謂

神，剛柔相推，而生變化，陰陽相摩，八卦相盪，而易行其中，以象形之理而言，動則爲意，靜則爲性，妙用爲神，動靜，動而未發謂之機，發而中節之謂和，中者陰陽之大本也，和者天地之大道也，致其中和，則天地位焉，萬物育焉，心意象形之理而成乎其中矣，

第二節　丹田充實法

論語鄉黨篇言，孔子屏氣似不息者，老子謂虛其心實其腹，莊子云，至人之息以踵，孟子曰，善養吾浩然之氣，此四子者，不但得武術之三昧，及養生之秘訣，並且存心養性，守中抱一，得列聖相傳之道統，後人談文治武功者，莫不奉爲師表，吾儕之欲研究國術者，豈可不尊爲神明，以爲却病延年衛國保民之基礎耶，今之談武術者，莫不以練精化炁，練炁化神，及洗髓，易筋，等語，逢人說項，成了一種口頭禪，及問其具體練法，及習學之步趨，則箝口結舌，茫然不知所答，茲將方法步驟及效果，述之於左，以供獻於社會焉，

(一)丹田俗名小腹，即道家所謂安爐立鼎之處，在人一身之中，即力學上，所謂重心者是也，欲使元氣充足，變成金剛之體，每日，或每夜，擇空氣清新之處，靜立，或靜坐，皆可練習，注意適當之姿勢，（即合法規之勢）先用畧粗之呼吸，以開通氣道，以意力送至丹田，待到腹中氣滿，然後呼出，（此謂後天呼吸法）如此數至十次，或二十次，即舌搭天橋，換爲細呼吸，數至五十次，或一百次，迨至無思，無慮，五蘊皆空，然後順氣息之自然，勿庸暗數矣，(二)練氣百日，必丹田膨脹如鼓，堅硬如石，宜再注意尾閭夾脊，以上達於玉枕，及玄關，一氣灌活，周而復始，上至泥丸，下至湧泉，氣息綿綿，聽之無聲，視之不見，所謂至人之息以踵者是也，(三)每日練習不稍間斷，不但坎離相交，（心腎相交）有不可思議之樂趣，而丹田充實，元氣既足，則電力（即一身之法相）增加，磁氣（即全身精系光線）發動。能擊人於數步之外，有鬼神不測之妙用，知此玄理可以入道矣，

第三節　鍛鍊筋骨

欲求身體之健康，首要鍛鍊筋骨，骨者，生於精炁，而與筋連，筋之伸縮，則增力，骨之重者，則髓滿（髓是人之精也），筋之伸縮，骨之靈活，全係鍛鍊，頭爲五陽之首，尾閭爲督脈之門，頭宜上頂，尾閭中正則精炁透三關入泥丸（腦海），背胸（指背筋胸筋言）圓開，氣自沉下歸丹田（小腹），兩肱抱撐，肩窩吐氣，開合伸縮，力達指心（指手指心是指手心屬筋）象其形，龍蹲目之精，爪之威，虎坐，搖首怒目，胯坐挺膝腰，腰似車輪轉，身有平準線，兩足心含虛，抓地如鑽鑽，兩股形似弓，進退要連環，骨靈河車轉（如機器之輪軸也），筋絡伸縮如弓弦，身勁動發若弦滿，手出如放箭，運動如抽絲，兩手如撕綿，手足（手足四腕力也）挺勁力，扣齒骨自堅（齒屬骨）形其意搖首攪尾閭，動如飛龍昇天躥似猛虎出林，蹤跳靈空象猿猴，步法輕妙如貓行，得此要素神乎技矣，

第四節　三性合一

夫三性者，以心爲勇性，以目爲見性，以耳爲靈性，此三性爲藝中應用之根本也，然運用之法心應不時常警醒，目應不時常循還，使之精靈三性，象影相合，運貫如一，蘊發在意，其大無外，其小無內，放之則彌六合，卷之則退藏於密，其味無窮，正是三性之要義也，

第七章 六意

第一節 會意象形

象形者，會意也，發於外而謂之象，蘊於內而謂之意，意可蘊，亦可發，意由心出，象由性生，中庸云，誠於中，形於外，正是意象之謂也，以人之四體，百骸運動而象其形，悟其眞意，效其靈性，通其造化，而以術延壽，以健身心如華陀之五禽是也，

第二節 假借

假借者，是乘敵人之來勢也，運吾之機謀，忽縱而忽橫，縱橫因勢而變遷，

忽高而忽低，高低隨法（法者天也流行之氣也）以轉移，尾閭中正神光耀，（精炁電力四射也）炁透三關入項門，腰像車輪，身有中線，全身法象，如百練鈍鋼繞指柔，似萬縷柔絲纒繞綿綿不斷，彼剛，我柔，彼柔，我剛，任他巨力雄偉漢，一指運動分千斤，此假借命名之義也，

第四節　轉注

轉注者，旋轉圓動力而中心不失也，圓中縱橫似彈丸，光線芒芒無分左右前後，即中庸云，中立而不倚，和而不流，正是此義，無論如何旋轉不失中心，取義指南命名轉注也，

第五節　指事

指事者，如陣法，似長蛇，擊首則尾應，擊尾則首應，擊中則首尾相應，忽上像飛龍昇天，忽下似潛龍在淵，忽前後，忽左右，忽高低，像雲龍之探爪，氣若龍飛萬里，像猶虎賁三千，如戰陣行軍，聲東擊西，故而謂之指事也，

第六節 諸聲

諸聲者，發號使令也，如龍吟虎虓，睡獅吼，神氣能逼人，精氣能攝人，威猛能驚人，兩目神光耀，使人一見而生畏，形之於戰鬬力，斜入而直出，直進而橫擊，剛來而纏繞，柔去而驚抖，丹田含炁，神意貫指，按實用力，吐氣發聲，故取義諸聲也，

第八章 名稱五法內附五中

第一節 飛法直中

飛法者，直中也，性屬金，練筋力，有剛堅之氣，外剛內柔，有挺勁與橫力，能攻堅擊銳，

第二節 雲法化中

雲法者，化中也，性屬水，練柔力，形似波浪，外柔，內剛，有彈簧鼓盪吞

吐驚抖之機，

第三節　搖法（圓中）

搖法者，圓中也，性屬木，練身力，剛柔相濟，有曲折廻環機驚翻浪抖擻之威，

第四節　㨪法（虛中）

㨪法者，虛中也，性屬火，練定力，（以意而作用）含火機之妙，外靜內意，柔剛兼有，有爆烈驚炸之猛，

第五節　旋法（實中）

旋法者，實中也，性屬土，練圓力，剛柔相合，足有踏八卦步九宮之奇，象有墩厚，沉實，方正，圓活，之象，法曰方者以正其中，圓者以應其外，三回九轉即是此法之意義也，

第九章　八卦成象 緒言

乾坎艮震巽離坤兌，震爲龍，兌爲虎，離爲牛，坎爲馬，乾爲象，艮爲獅，巽爲熊，坤爲猿，

法曰　遊龍　睡獅　威猛虎　精神猿
醉熊　文象　馬蹟蹄　瞪目牛

第一節　龍

龍象　練精意，龍有遊空探爪縮骨藏形驚抖纏繞之神，

第二節　虎

虎象　練精炁，虎有怒目搖首擺尾橫衝竪撞奔披之威，

第三節　馬

馬象　練腹實，腹實體健而身輕，馬有蹟蹄跳澗之勇，

第四節　牛

牛象　練蹵力，久練此象，能生千斤力，牛有兩足栽根，身重如山之狀，

第五節　象

象象　練筋絡，人之一身，大者爲筋，小者爲絡，象有曲伸四體百骸筋絡之法

第六節　獅

獅象　練神氣，獅有心定神寧養性修直之妙，

第七節　熊

熊象　練靜力，熊有撓身沉實氣貫丹田之眞，

第八節　猿

猿象　練靈神，猿有三閃六躲輕妙蹤跳之靈，

第十章　八象合卦

第一節　四合卦

坤乾卦，猿象二法相合，土生金，卦名地天泰，坎離卦，馬牛二法相合，卦名水火既濟陰陽相交震巽卦，龍熊二法相合，屬陰陽二木，卦名雷風恒兌艮卦，虎獅二法相合，土生金卦名澤山咸

第二節　四生氣卦

乾兌卦，象虎二法相生，卦名天澤履，坎巽卦，馬熊二法相生，卦名水風井，

坤艮卦，猿獅二法相生，卦名地山謙，震離卦，龍牛二法相生，卦名雷火風，

第三節　四絕命卦

艮巽卦，獅熊二法相尅，卦名山風蠱，離乾卦，牛象二法相尅，卦名火天大有，坤坎卦，猿馬二法相尅，卦名地水師，震兌卦，龍虎二法相尅，卦名雷澤歸妹，

法曰　八卦八象陰陽化生　六十四卦內藏眞情
性命雙修參贊禪功　水火既濟火候純靑
聯絡縱橫奇妙無窮　証悟道理性命長生

法曰　練至骨節通靈處　週身龍虎炁横行
掌心力從足心起　一指霹靂萬人驚
學藝精心求其妙　吐氣使力如山崩

第十一章

第一節　修養要論

蓋夫人生先天體質虛弱，後天失調，久罹病苦，醫法已盡，藥物無靈，此術能使其身體健康，患根拔除，膽氣薄弱，意志顛倒，煩亂不寧，陰陽不交，（即心腎不交）稍遇驚恐，心膽俱裂，苟能依術鍛鍊丹田之炁，充實其腹，以鎮定心神，而增百折不撓意志力，法不僅愈己之病，而且對於家庭之上，精神，肉體，痛苦，亦能隨緣普濟，換而言之，由肉體方面，漸進向精神進步研究，善能變化人之氣質，使剛者柔，弱者強，病者愈，膽驚壯，學者，得此要素，則人生多美感之快樂，古聖千辛萬苦始得之法門不傳，今一朝啓其祕藏，明此道理可以通三教之眞髓矣，

第二節　生理呼吸

人類呼吸之作用目的，最切要者，曰生活機能，故聖人視息曰命，可知生命與呼吸是非有二，一呼一吸者，即吾人之生命也，欲知生命之眞意，必先研

究根本，第一步曰，呼吸，且吾人肉體中，最重要之物質，爲血液，夫血液之營養分，非藉呼吸不能製造純良鮮血質，因空中氣分中有一種養料，名酸素，此質吸入內部，則使全體能起酸化作用，且酸素與細胞組織中老廢物，化合而爲碳酸素，藉呼吸作用以吐出之，空中之新酸素吸入腹內後，則能使黑暗色之舊血液爲深紅純良之新血液，輾轉交流，循行全身，是即呼吸收效果目的之法門也，

第三節　實修內容大綱

(一)正身法，(二)調息法，(三)修心法，其正身法內有注意與隨意二法，調息法內有三步呼吸，(一)努力呼吸，(二)丹田呼吸，(三)體呼吸（即法輪長轉），修心法，(一)至誠，(二)守一(三)腹呼吸，此爲修心鍊性，次第實修之法門，調息法，與修心法，互相結合，篤行而生一種天然之佳趣，下列表以指示結合系統途徑，

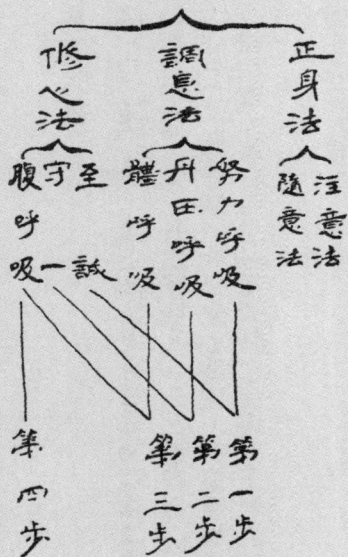

此表學者，初見似難悟會，然實極簡易，其要點不過由淺入深，如調息法中之努力呼吸，即丹田呼吸之先導，丹田呼吸又爲體呼吸之準備，詳而言之，體呼吸又爲修道之終法，最上乘之工夫，修心法中，至誠不息，爲守一之綱領，守一又爲體呼吸之法門，如學者，果能至誠不息，則可以入道矣，調息

由精神方面作用，進於體呼吸，先要剷除雜念，而至誠不息，抱元守一之佳果得矣，

第四節　正身法

先要注意，身體相當之姿勢，及態度，無論行止，坐臥，務要使脊骨柱正直無曲，首勿傾於前後，耳與肩對，鼻相對臍，道經云，尾閭中正神貫頂，悉透三關入泥丸，此姿勢，宜常保守，不但練時爲然，勿論何時，何地，莫忘却此法，中庸云，道不可須臾離者是也，正身用意，動作皆於法規，不可隨意傾跌，學者最宜愼之，

第五節　注意法

欲實行修養法時，最注意者，即適當之姿勢，如練時，先向下腹部，以意沉氣貫通，使出小腹突出（常人不知此法）但初行時，總苦氣不及於腹，其法最緊要者，即閉口齒，以鼻向外徐徐出氣，（而微細有聲，出至力不能出時，下腹自然實出。）

第六節 隨意法

隨意法，即權便之法門也，無論行止，坐臥，車上，馬上，皆可隨意而練之，此法用意而練 有一時工夫修一時道，有一刻工夫練一刻心，一日內，十二時，意所到，皆可爲，偈曰行立坐臥任呼吸，一呼一吸立丹基，唇齒着力學睚息，息字自心聖人知，四個橐籥八卦爐，不知不能立丹基，

第七節 三步調息法

調息法者，即調和氣息之謂也，分爲弩力呼吸後天，丹田呼吸先天，體呼吸周天，此三種呼吸，乃是修道始末根本工夫，由粗入細，由細入微，由微入道，若論其極，綿綿若存，若有，若無，若實，若虛，忽忘，忽助，呼吸不從鼻中而出，從全身八萬四千毛孔，雲蒸，霧起，往來而出入，道至此時，全體安適，悠悠而入於極樂世界矣，

第八節 呼吸與精神關係

呼吸者，則謂之調息也，息調則心靜，息外無心，心外無息，欲得息外無心之妙，必須眞調息，息調則心定，心定則神寧，神寧則心安，心安則清靜，清靜則無物，無物則氣行，氣行則絕象，絕象則覺明，覺明則性靈，性靈則神充，神充則精凝，精凝而大道成，萬象歸根矣，

第九節　組織調息法

練工夫時，宜擇天朗氣淸之地，斂情攝念，心無所思，目無所見，鼻無所嗅，耳無所聞，口無所言，神將守形，任從兩足行動處，一靈常與炁相隨，壇經云，行也能禪，坐也能禪，行也綿綿，坐也綿綿，醒也綿綿，睡也綿綿，氣昇乾頂，氣降坤田，出息微微，入息綿綿，至誠不息，性命永安，

第十節　努力呼吸

努力呼吸，與自然呼吸，並無大異，惟呼息吸息稍微用力於下腹部耳，開始行功之時，須將身體立正，面微仰，目斜上視，先從口中念呵字，念得氣不

能出時（念時切莫有聲有聲反損心氣），然後再用鼻子吸入空中新鮮清氣，使肺中十分充滿，則横隔膜向下，以意力向下腹用力，徐徐送至丹田，時間停止少許，謂之停息，嗣後將腹內之氣，從鼻中微微呼出，使横隔膜次第向上，而胸部肺底之濁氣可以排瀉而出，以上呼息，吸息，二法，循環爲之，其呼吸機能順通，乃移於丹田神意呼吸，偈曰，一呼一吸，通乎氣機，一動一靜，通乎造化，正是此意也，

第十一節　丹田呼吸

丹田呼吸，此法與前努力呼吸所異者，呼息氣下入丹田，而謂之闔，吸息氣闢而上昇謂之開，（又謂陰陽相交）易曰，一闔一闢謂之變，往來不窮，謂之通（即明心見性）呼息下貫丹田，吸息上至心腦（謂之水火既濟）以心意而存於心腎，使氣上下而往返，則精氣透泥丸，偈曰，三田（泥丸黃庭土釜）往返調生息，混元二炁造化機，神不離氣，氣不離神，呼吸往來通乎二源，久行此功，則丹田炁充而精凝，精凝則性靈

，性靈則神合一，呼吸之息如無呼吸狀態，工夫至此然後可進論體呼吸法矣

第十二節　體呼吸

體呼吸者，乃呼吸最上乘法，前兩步呼吸，不過爲達此步之途徑，雖由丹田呼吸漸進而至於體呼吸，但體呼吸乃是周天法輪之呼吸，此呼吸全不賴呼吸器而出氣息，從全體八萬四千毛孔雲蒸霧起而爲呼吸，然此呼吸，實爲呼吸最終之目的，最上乘之法門，故習此道者，不可不恒心努力達此境域，蓋眞體呼吸，雖未易得，而能恒性求之，不難由近似而得眞實也，練體呼吸，須要充實氣力於下腹，以意在內換氣，呼吸從尾閭，上升透脊骨，過玉枕，入泥丸，而至下鵲橋，度重樓，過黃庭（離宮心也），至丹田，而謂之一周（周天），轉法輪以意力，由臍輪向左從小而大，再向右轉臍輪，由大而小，由中達外，中全外，由外至中歸無極，此節工夫，乃是精神眞正呼吸，非有眞傳難入其道，非有恒心難達其境，學道者，勉力爲之，以期達此境域是爲至盼，

第十三節　修心法

修心法者，即成道成不二之法門也，釋謂明心見性，道謂修心練性，儒謂存心養性，其名雖殊，則理是一，至其練法，則先藏氣於丹田，作丹田中之意識，使頭部漸漸冷靜，雜念滅除，妄念次第消散，以全身精神集注於下腹入於無念狀態，腹呼吸自然現於意識界，遂成一種抱元守一之象，以期達此三步最上乘工夫，從至誠不息中而求之，修心練性之術，尤願上等有根器者篤行之，

象形拳法眞詮上編

總綱

第一節　虛無無極論

法曰　無虛無極炁中理　太虛太極理中炁
動靜乘風分陰陽　相分陰陽爲天地

虛無者〇是也，無極者◉是也，虛無者縹緲空空，無極者混混沌沌，則其中含一點生機，此極爲先天眞一之祖炁，性命之根，造化之源，生死之本，龍虎二炁發源之始，易謂之太極也，儒謂浩然，道謂金丹，釋謂牟尼，正此之謂也，名雖殊其理則一，知此道理可以入德矣，

(開始)預備起點，先將身體立正，兩手下垂，面微仰，目平視，兩足九十度之姿勢，聽息下行，使氣充實丹田，心中屏除一切雜念，無思無慮，五蘊皆

空，此勢順行天地自然化生之道，又謂之混元一炁，取一炁含萬象，以後無論演各法象，皆依此而開始，

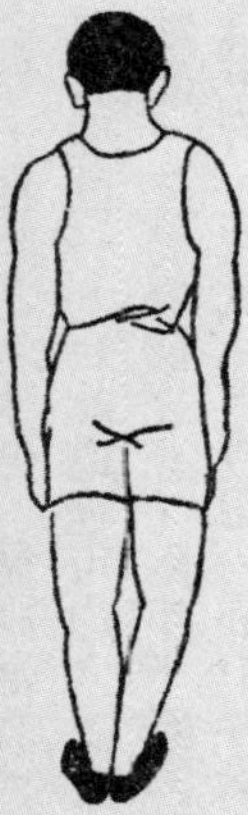
總綱
無極圖

第二節 太極論

法曰 太極動靜分陰陽 少陰少陽體中藏
陰陽互生爲四象 中間五土自生黃

太極者，炁形之本，無極而生有極也，自無歸有，有必歸無，無能生有，有無相生，無有盡時，則綿綿流行不息，太極陽儀是氣之伸也，太極陰儀是氣之縮也，太極中於四象，兩儀之母也，其性屬土，天地萬物皆由土而生，故萬物之旺，以土爲本，萬物之衰，由土而歸根，取之於身，在臟，屬脾，爲

土，脾旺則四體百骸，健全，取諸於法象，爲旋法，土力也，內包四法，即金力，水力，木力，火力是也，共謂五德，而又謂之五行也，

（化身）將無極之勢，半面向左轉，左足根靠右足裏脛骨，爲四十五度勢，隨時再將身體下沉腰塌勁，頭項勁，目平視，內中神意，抱元守一，取義中立不倚，和而不流，口似張非張，似合非合，舌頂上顎，谷道微提，此勢取法一炁含四象，謂之攬陰陽，奪造化，轉乾坤，扭氣機，於後天之中，返先天之眞陽，退後天之純陰，復本來之眞面目歸自己之眞性命，而謂之雙修也，故心一動而萬象生，其理流行於外，發著於六合之遠，無物不有，心一靜，其意退藏於密，無一物之所存，所以數不離理，理不離數，數理兼用，方生神化之道，體用一理，動靜一源，分而言之爲化象，合而言之仍歸一炁也，

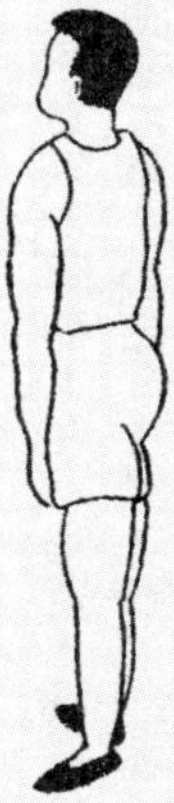

太極兩儀圖

第一章　飛法會眞

飛法性似閃電，屬天干庚辛，在身爲腎，兩儀也，屬右命門，在五行屬金，情也有白虎肺金之氣，形之於性體，筋絡舒暢，丹田烝足，靈烝貫頂，玄門謂之曰雲朝頂，形之於拳法，骨堅如金石，動如閃電，縮身而起，長身而落，有挾人之技，穿針之妙，點穴之精，返身旋轉之靈通，行如流水，無堅不入，無物不摧，故曰屬金力者是也，其拳順，則肺金之氣和暢，而無咳嗽之疾，其拳謬，則肺努而體弱，弱則生病，學者尤宜加意焉，步徑斜曲，兩步一組圖列後，

法曰　白虎之精五行肺金　丹田火發靈烝通神
形於拳法閃電穿針　四體和暢剛柔齊伸

飛法進步路線

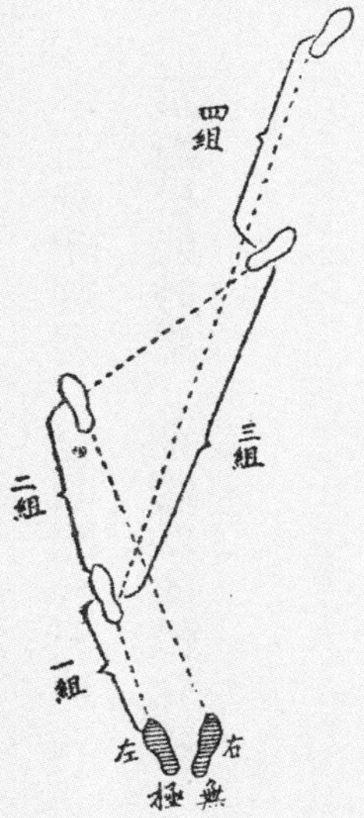

第一節　飛法

（開始）將兩儀之勢（步法）右足不動，左足向左斜進步成斜丁勢，兩股曲弓，左足尖挺勁蹬力，膝蓋上提，右足全蹬力，膝蓋下跪勁，兩膝裏相合，小腹放在大胯根上，（手法）兩手同足進時，向裏合勁，合至手心朝上，從心口上起，往前托勁伸出，兩肱抱撐，似直非直，似弓非弓，右手在左手腕下，肘前，相離三四寸，目視左手中指梢，鼻與手對，手與足順，兩肩鬆開，兩胯根塌勁，是肩與胯合，兩肘微垂勁，兩膝合勁，是肘與膝合，兩足蹬勁，兩手五指伸勁，是手與足合，此謂之外三合也，要而言之，是肩催肘，肘催手，腰催胯，胯催膝，膝催足，上下合而爲一，此身法，不可前栽後仰，左斜有歪，正是斜，斜是正，陰爲陽，陽則陰，陰陽相合，內外如一，謂之六合也，總而言之，六合是內外陰陽相合，陰陽相合，則兩儀分象，三才而生之法門也，取之拳意，謂金手，金手剛猛，力能攻堅擊銳，故各法象，皆依此開始而化身也，

法曰　三才三身非無因，分明配合天地人

三元靈根能妙用　全體法象億化身

飛法開始左圖一

法曰

左足斜出　右足斜橫
兩股形曲　兩足力蹬
手心朝上　前伸順胸
兩肱抱撐　目視手中
肩鬆胯墜　頭要上頂
五指各分　陰陽化生
兩儀分象　化身意也無窮
三元靈根　久鍊堅凝

第二節　飛法

左（化身）變化是也左足不動，右足向前進步，足腕挺勁，右手心朝上，亦同時順左手腕外，向前稍擰伸勁直出，左手掌同時順右肱向裏合勁，至手心朝下，往回極力拉勁，至右肘下緊靠停住，兩肱抱撐，曲伸，兩肩鬆開，兩股彎曲，頭頂，身挺，胯墜，仍如前勢，目視右手中指，

法曰 左足不動 右足前進
左手回拉 右手前奮
前手取鼻 後手肘近
手足與鼻 列成直陣
頭頂足蹬 肩窩吐勁
兩肱抱撑 丹田氣沉

飛法左化身圖二

第三節 飛法

(右化身一)左足不動，右足向右方斜進步，右手心仍朝上，臂肱挺勁，同足進時，用橫力向右直出，左手不動原勢，與右手同時向右橫力，肩鬆，胯墜，氣沉，膝曲，身子半陰半陽，目注意右手中指，

飛法右化身圖三

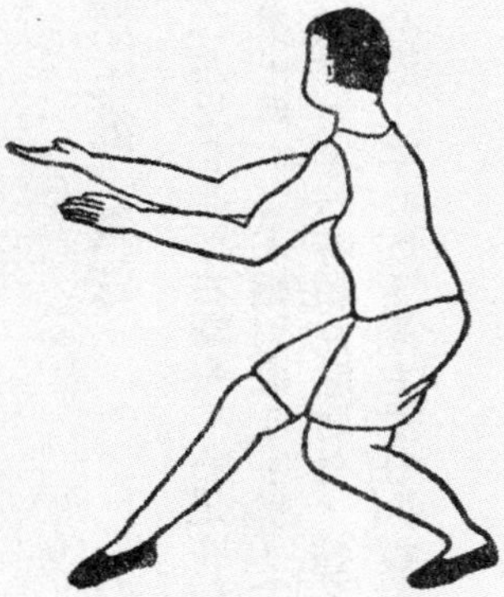

法曰

左足莫動　右足右進

兩手原勢　橫力挺勁

目力貫指　丹田氣沉

肩鬆胯墜　腰似車輪

挺頸貫頂　身有平準

第四節　飛法

（右化身二）右足不動，左足向前進步，左手同足進時，順右肱外擒至手心朝上，極力伸出，至極度爲止，右手亦同時向裏合勁，至手心朝下，順左肱向回拉勁，至左肘前緊靠，停住，兩肱，兩股，胯，腰，膝，之勁力，仍同前勢，目視左手中指，再向前練，左右二勢化身，手足身法步，均同，數勿拘，

飛法右進化身圖四

法曰　右足不進　左足前行
左手前伸　順肱（右肱也）出摔
右手合扣　回拉獲胸
目意貫指　精炁貫頂

第五節　飛法

（回身法）左足在前，右轉身，右足在前，左轉身，（右轉回身法）先將左足尖向回扣步，與右足尖相對成八字勢，左手同足扣時，向右肩，平合勁，右足隨進仍順，右手同時順左肱肘外，扭勁，前伸，至極度止，高與肩平，左手隨向裏合勁，手心向下順右肱往回拉勁，至右肘下停住，緊靠，目視右手中

指，再進步化身，法均同，收勢原地休息，

飛法右回身圖五

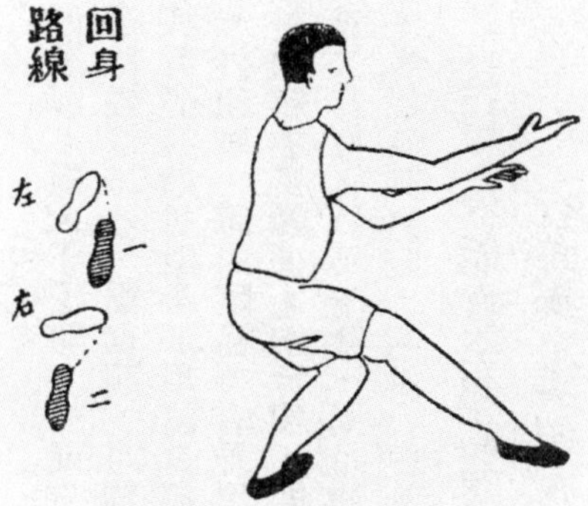

法曰

左足回扣　隨勢轉身
左手右合　右手前伸
右手進前　手足對準（鼻子也）
目視手掌　聽息下沉
再向前演　手足莫紊
左右回身　依此法箴

第二章 雲法會眞

雲法性似波浪，屬天干壬癸，性能一氣流行，忽高，忽低，蕩蕩流行綿綿不息，以拳法性情言之，雲從龍，身體行動如神龍遊空，蜿蜒旋轉行踪無定，猶水之流克盡其曲折能事，取諸身屬腎，在五行屬水，故謂之雲法水力也，此拳形，外和順，而內剛猛，有丹田烝實之妙，古仙云，丹田氣實，身輕體健，正是此形之要義也，拳行順，則清氣上升，濁氣下降，百疾不生，拳行逆，則意失其眞，氣不下降，兩足如浮萍，眞勁不生，拙力不化，終身未克有濟也，步徑曲直無定，兩步一組，學者，最宜深究其妙道，圖列後，

法曰　雲龍遊空忽高忽低　蕩蕩流行綿綿不息
行跡無定身輕腹實　萬緣皆空精神蓄之

雲法進步路線

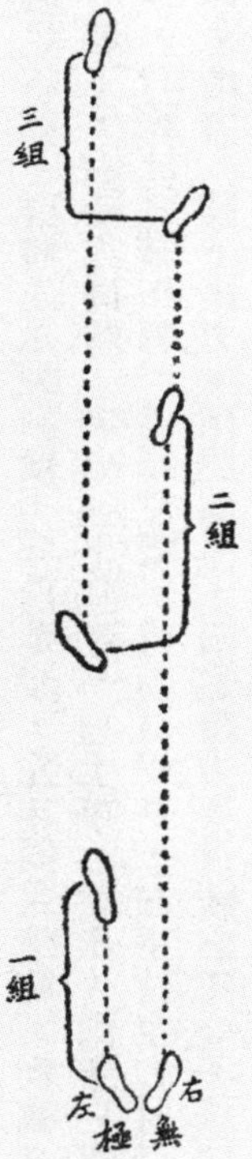

第一節　雲法

（開始）無極之姿勢，先將左足向前進步，右足不動，左右兩手同足進時，從胸向前極力伸出，左手心朝上高與左肩，順膝，右手心亦半朝上，掌伸至左手腕下，相離四五寸，兩肩鬆開，兩肱曲伸，頭要上頂，腰挺胯墜，兩股曲弓，雙手腕皆宜挺勁，目視左手心，勢謂之雲法接手，

雲法左開始圖一

法曰

左足先開　右足斜橫
兩手同發　迅速要猛
前手平肩　後手抱胸
腰挺胯墜　頭宜上頂
四腕挺力（手足指腕）　股肱曲弓
目視手心　精氣要充

第二節　雲法

（化身）右足不動，再將左足尖斜橫，向前進步，左手同足進時，向裏合勁，合至手心朝下，右手亦同時，向裏往上扭勁，扭至手心朝上，兩手一齊向後極力拉勁，右肱拉至肘在胸，手順左膝，與心口相平，左手拉至右肘旁大指相靠，身含縮力，臂下坐力，兩肱曲弓，兩足蹬力，目視右手心，

雲法左捋手圖二

法曰

右足不動　左足進橫
雙手陰陽　回捋縮弓
左手肘近　右手平胸
臂向下墜　頭宜上頂
股肱曲弓　兩足力蹬
目視前手　神意兼雄

第三節　雲法

（化身）左斜之足不動，右足向前進步，兩手原勢不變，極力向前推勁伸出，右手伸至，高與右肩平順，左手伸至右手腕，股肱皆要半圓形勢，肩鬆開，挺膝，坐胯，目視前手心，再演，化身，手足身法如一圖，二圖，數勿拘，左右進步，化身，皆依此類推，

雲法化身進步圖三

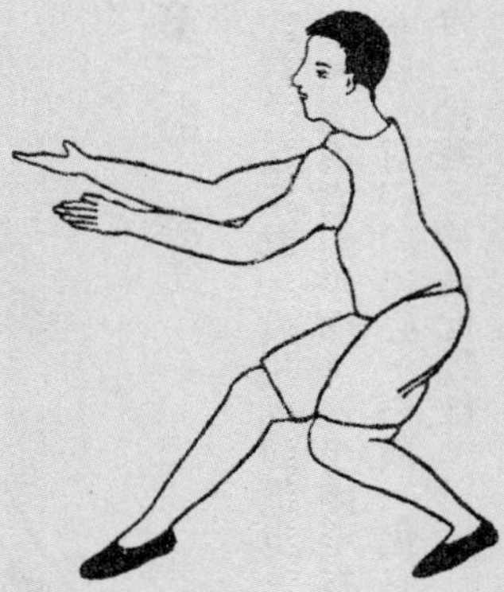

法曰　左足不動　右足前進
兩手原勢　極力前奮
右手順肩　左手腕近
手足與鼻　列成直陣
化身再演　手足莫紊
依此法規　變化通神

第四節　雲法

(回身法)左足在前，右轉身，右足在前，再轉身，(右轉回身法)先將左足尖，向回扣勁，與右足成八字形，右足隨進成順，右手同轉身時，向裏合勁至心口上，左手亦向下合，往懷中抱勁，至右肘，同時極力伸出，如雲法一圖，回演化身，仍如前勢，歸與原地休息，

雲法右轉回身圖四

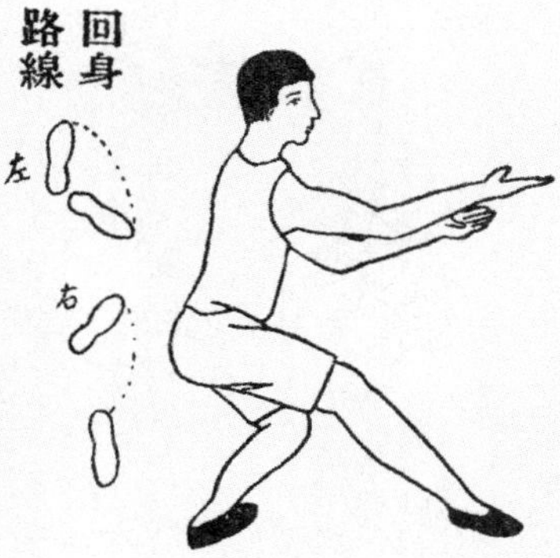

法曰　左足回扣　右足順進
兩肱合抱　隨轉前伸
左右化身　手足莫紊
原地收勢　屏息下沉

第三章　搖法會眞

搖法，性似龍，屬天干甲乙，在身爲臂（兩儀），屬左腎門，在五行爲木（性也），在五臟屬肝，有青龍肝木之炁，施之於身則平肝固氣，形之於四體，百骸，則皮肉如綿，而筋骨如剛，骨骼無處，不生鋒芒，曲直之形，以拳法妙用言之，活動筋絡，能曲，能伸，有飛騰變化之神，有靜中策動之妙，故曰，搖法性似龍，屬木力者是也，此拳外靜，而內動，外柔順，而內剛猛，拳形順，則心中虛空，丹田炁堅（釋教謂之牟尼珠），平肝固氣，而目光明，拳形逆，則性味不靈，氣滯傷肝，肝傷則兩目昏瞀，動罹疼痛之患，學者不可大意，若能細心研究其妙道，神乎技矣，步徑斜曲，兩步一組，圖列後，

搖法進步路線

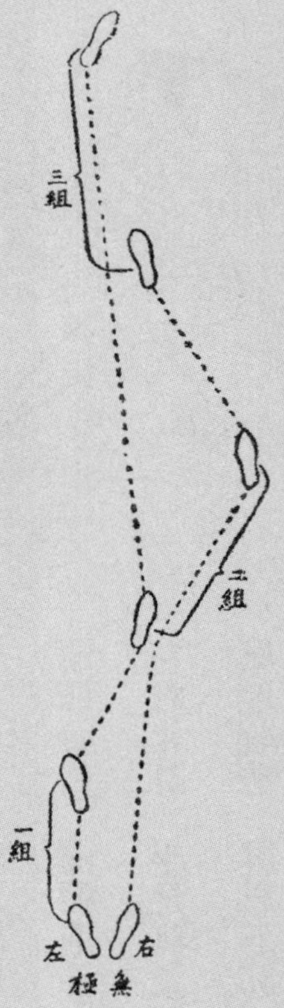

法曰　青龍之炁五臟屬肝　四體百骸筋骨剛綿
外靜內動丹田炁堅　精炁貫頂勁起湧泉

第一節　搖法

（開始）無極勢，右足不動，左足前進步，雙手，同時，手心翻上平心口，極力向前伸出，左手順膝平肩，右手伸至左手腕下，（勢謂之無極接手）勢不停，兩手陰陽向左斜橫，（弧形）極力捋勁，右手心捋至朝上，肘順左膝平乳，左手捋至手心向下，在右肘旁，相離四五寸，形象右肩左膝，頭頂身拗，目向右平視，

搖法左開始圖一

法曰 右足不動左足前進 雙手翻上順力前伸
伸勢不停回捋斜勁 左手抱肘右肘順心
兩手陰陽目右傳神 舌捲氣息屏氣下沉

第二節 搖法

搖法右化身圖二

(化身)左足先向右進步，右足隨前大進步，足尖稍向裏合，兩手陰陽，同足進時，向右斜橫(弧形)極力捋勁，左手心捋至朝上，肘順右膝平乳，右手捋至朝下，在左肘旁，相離四五寸，勢象左肩右膝，目順左手心前視再演化身，手足，身法意，均相同，

法曰　左足斜步右足大進　兩手陰陽斜橫捋勁（向右）

左肩右膝目順手心　右手旁肘左肱曲伸

左右化身勢不宜紊　依法類推陰陽通神

第三節　搖法

（回身法）左足在前，右轉身，右足在前，左轉身，（左轉回身法）右足向左足傍，回扣步，成大斜八字勢，左足隨進，兩手同轉身時，陰陽合力，向左斜橫（弧形）捋勁，左手心向下仍抱右肘，右手心向上仍順左膝，平肩，與前勢相同，左右回身依此法，收勢原地休息，

搖法左回身圖三

左回身線

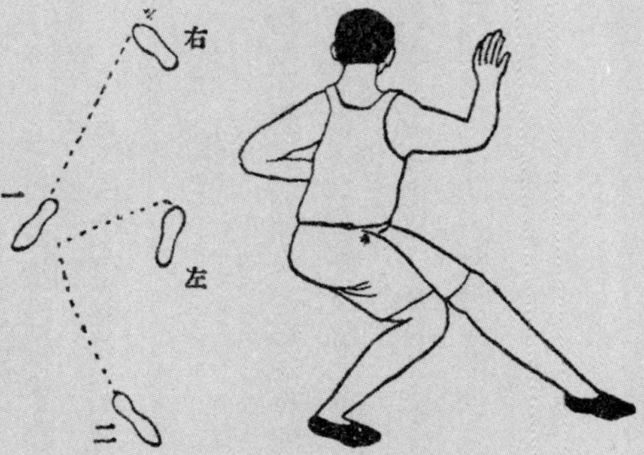

法曰

右足回扣　左足隨進
兩手陰陽　隨勢化身
手足變化　肱曲力伸
兩股弓曲　足指扣勁
收勢休息　丹田氣沉

第四章　捑法會眞

捑法性似醉翁顛倒（內含巽火），在天干爲丙丁，在五行屬火，取諸身爲心，生心爲性，性定即禪，心動即機，機動則猛虎出林，火發則神龍遊空，形之於內，有禪機之妙，醉翁火發之意，形於拳法，用之發手如爆烈之炸彈，勢動如火之燒身，有捭（音背起也）捭之功，有猿猴之靈，且異常猛烈，剛柔相濟，故曰捑法火力也（火有性而虛無）拳形和，三味通靈，躁心化，玄妙生，體舒神暢，拳形不和，則中心不空，四體失中，筋絡拘牽，諸法皆不得中立地步，學者，不可不愼焉，倘能詳細研究，得其眞詮，以術接命，而壽延年，身拗步斜兩步一組，圖列後，

法曰　醉翁性顛顛倒顛　性定神安醉如眠
禪機一動眞火發　性命皈根見玄關
三味通靈成大道　以術延命壽綿綿

㨪法進步路線

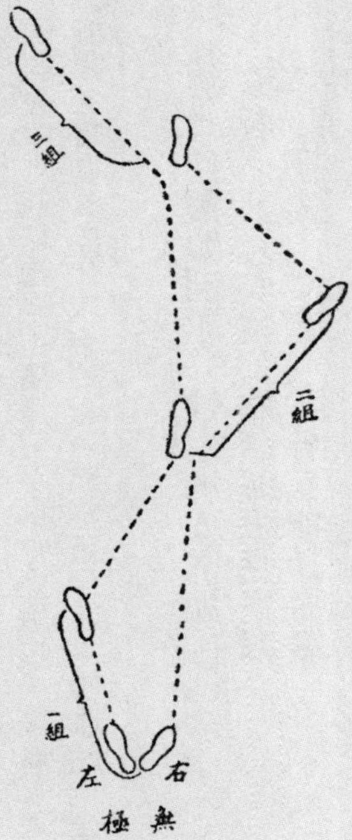

第一節　㨪法

（開始）無極勢，右足不動，左足向左斜進步，左右兩手同足進時，向裏扭勁，至手心朝上，平心口一齊往前極力伸開，如托重物相送之意，與肩相平，兩肱曲伸，如懷中抱物之勢，俟伸至極端，兩手隨向下翻勁平胸，頭要上頂力如托物猛翻下放之意，兩手俟平胸之時不停，仍手心翻上，還成托物之勢，股肱

曲伸，頭頂，身挺，目視兩手中間，

捰法左開始圖一

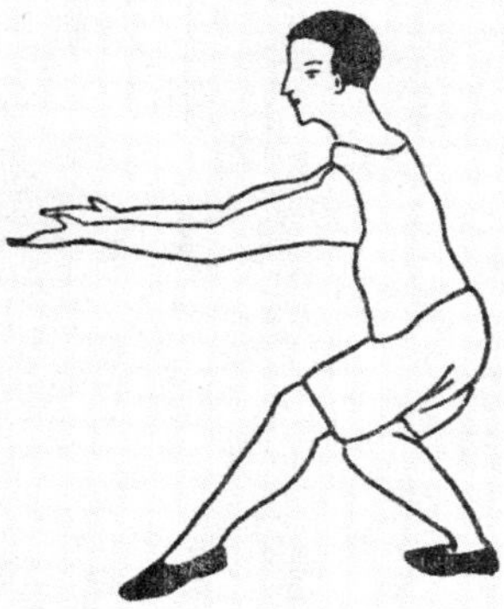

法曰　左足斜進　右足斜橫

雙手起伸　托物手中

俟伸極端　翻放平胸

勢不宜停　翻上要猛

仍落起勢　目視掌中（兩手中間）

第二節　捰法

（化身）左足向右斜進步，兩平托物之勢不拳回，同足進時再向上起，端勁，齊眉，向右方搖肩　捰身兩肱似畫上半圓形，右足隨大進，兩手俟右足著地時，隨向下翻勁平胸，如托物翻放之意，兩手俟至胸不停，仍翻上成托物之前勢，再演，惟兩肱不拳回，手足身法步，相同，數勿拘，

挸法右化身圖二

法曰　左足右開　手托上舉
搖肩挸身　肱半圓勢
右足著地　翻落猛起(手翻上起)
勢不宜停　互相一理
手足身法　以此為之

第三節　挸法

(回身法)左足在前，右轉身，右足在前，左轉身，(左轉回身法)右足先向左，轉身進步扣勢，與左足成大斜丁勢，兩手仍托物之勢，隨同上起，搖肩挸肱齊眉，左足隨轉身進步仍順，兩手俟左足著地，仍猛翻，下放，上起，與前勢精神，勁力，均同，左右回身，皆依此法，收勢原地休息，

挒法回身圖三

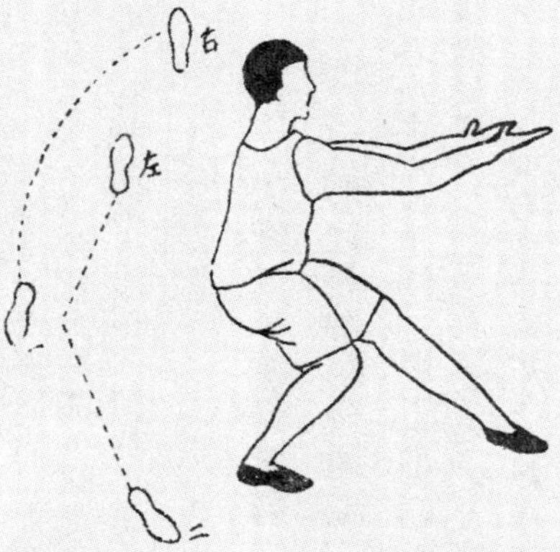

法曰　右足回扣　隨勢轉身
兩手上舉　兩肱力伸
左足隨進　手翻氣沉
下落上起　力舉千斤
左右互換　手足莫紊

第五章　旋法會眞

旋法，性似旋風，在天干屬中央戊己，在五行屬土，取諸身爲脾，脾者，意也，爲人之元性，意能變通萬象，如土能生長萬物也，形之於身內，屬陰陽二炁闔闢之機，左旋右轉，一起，一伏，兩者循還，形似璇璣，釋謂法輪，道名周天，孔云行庭，形之於拳法，性能，是一氣之開合，其形圓，其性實，無縱橫，旋轉似彈丸，萬法開端，能與各法相合，故曰土力也，形勢順，則內五行合，身體健壯，百疾不生，形勢逆，則氣勢傷脾，脾胃虛弱，則五臟不克溶化食物，各疾因此而生，諸法亦失其眞意矣，學者，深思默悟而得之於身心，以通諸竅，步徑，斜八，正八，斜丁，正丁，內含八卦圖，圖列後，

法曰　天旋其外寒暑無窮　身旋其內術命相通
形之於拳開竅通靈　脾胃健壯百疾不生

旋法，與各法之步徑不同，由中央戊己土開始，以立正九十度之無極勢，開步，左旋右爲齊，(主也)右旋左爲齊，此圖外圓內方，取天圓地方中央土之意，足之動機，開合，皆依正八，斜八，正丁斜丁，或左向右，或右向左，

旋法步徑圖

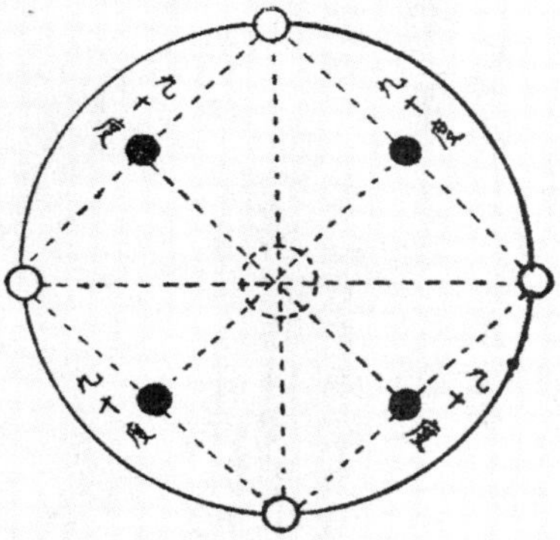

九十度之步驟爲之，其動機之四周，合三百六十周天之數，學者，悟此圖之禪機，遊身，化象，八卦，九宮，之玄理，在其中矣，道云，得其一，而萬事畢，即此意也，

第一節　旋法

(開始)無極勢，先將右足，向左足旁回扣，進步成八字勢，(此謂之合)左手隨右足扣步時，向裏合勁，從胸前，順右乳上鑽，至手心朝上，與頂相齊，

肘與右膝相順，右手亦同時向裏合外扭，至手心朝下，大指緊靠右胯，頭頂，身擠，膝扣足蹬，目視左手心，

旋法左轉身開步一圖

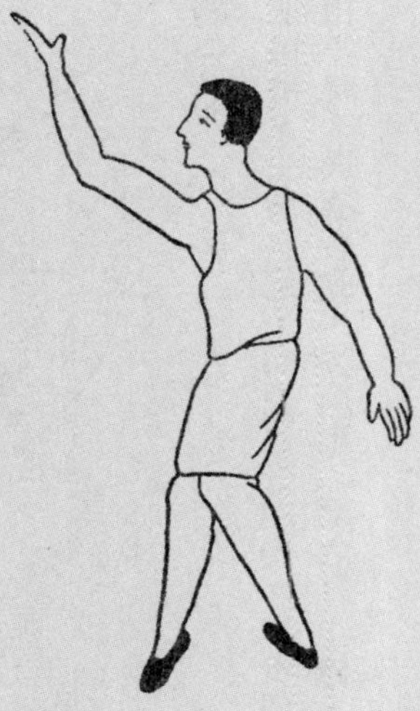

法曰　右足回扣兩足八形　左手上伸極力蹬擰
左肘右膝目視手中　右手心下肱稍外擰
頭身挺起兩肱拗弓

第二節　旋法

（化身）右足不動，左足向外進步，與右足成反八字，（足謂之開）左手向外扭，用抓

力，俟左足著地，隨向下攞勁，攞至左胯，手心朝下，肱稍外扭，右手亦同轉身開步時，向裏合勁，從胸順左乳上躦，與項相齊，與左膝相順，頭頂，身擰，足蹬，目向右視，再進步化身右足仍扣，左手上躦，右手下攞，與扣步圖一同，再化身與圖二同，數勿拘，如右轉化身，手足身法均同，收勢歸於無極休息，

旋法左轉身開步二圖

法曰　左足進開八卦成形　左手抓擰下攞胯平
右手上躦手心平項　右肘左膝挺頸身擰
兩足蹬力目視順平　右轉化身與此雷同

第六章　五法合一五行

天有陰陽闔闢之機，人有陰陽動靜之理，天有寒暑，人有虛實，天地合氣，別爲九野，分爲四時，月有大小，日有長短，人身陰陽不離呼吸，陰陽動靜，合乎天地，陰陽生化，分爲四象，合中五行，內有五臟，外有五官，皆與五行相配，心屬火，肝屬木，脾屬土，肺屬金，腎屬水，此五行隱於內，舌通心，目通肝，鼻通肺，耳通腎，人中通脾，此五行發於外，且五行有相生之道，水得金而生，木得水而達，火得木而旺，土得火而多，金得土而生，陰陽化生萬物育焉，五行相尅，木遇金而伐，火遇水而滅，土遇木而尅，金遇火而缺，水遇土而絕，五行之氣，萬物盡然，豈可勝竭，且五法拳術之生，取義包羅萬象，五法之尅，以應敵，取其五種力也，生尅之理，取義命名，亦猶此意，五法分演謂之闢，合演謂之闔，單習謂格物，合而謂修身，單習不熟，且莫合演，因內中神化難得貫通一氣，且拳法貴乎一氣呵成，不可中間斷意，五法合一演習，勢如連珠箭，無論地址大小皆可爲之，小者，用八字步進退，轉身，大者飛行九宮之步使於遊身化影，縮身藏形，其大無外，其小無內，狹小之地，且不覺其小，方圓寬大之處亦不見其大，合一圖路線，謂之初步，如往寬大演之，至十二節旋法，（土力）不回身，仍接演左手飛法，（金力）再演前勢，如回身，至旋法而回演，進退往返四十八勢矣，學者，依圖悟象形，神妙禪機，點穴妙法，劍術神化，諸器械應用，無不含藏其中，知此術可以通神明矣，

五法合一五行步徑圖

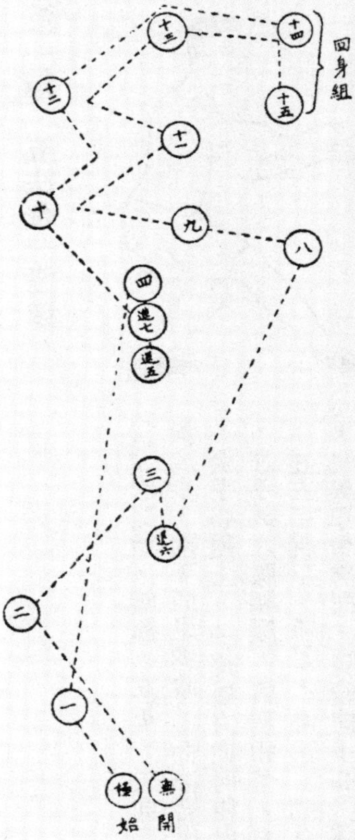

第一節　五法合一連珠

飛法開始一圖

（飛法）開始，無極，左足，先向左斜進步，兩手同足進時，向裏合勁，至手心朝上，一齊極力向前伸出，左手與左膝相順，與肩相平，右手在左手腕下，手足，身法，勁意，仍與單習勢同，目視前手心，謂之金力也，

第二節　飛法

飛法化身二圖

（化身）左足不動，右足前進，右手同足進時，順左肱手腕外，極力向前伸出，手心向上順鼻平肩，左手向裏合，至手心向下，順右肱往回拉勁，至右肘停住，目視前手心，一二圖手法，要連貫一氣爲之，

第三節　雲法

雲法三圖

(化身)右足，向右方斜進步，左足稍動，左右兩手，同足進時，向右橫勁，挺力，俟足著地時，陰陽合勁，左手心朝上前伸平乳，肱順右膝，右手心朝下，在左肘，大指靠肘，兩股相拗，目視左手心，謂之金生水，

第四節　雲法

（化身）右足不動，左足直向前進步，左右兩手，同足進時，搏勁相抱，極力向前揲出，手指稍扣力，抓勁，兩大指相對，手心朝下與鼻相順平心口，頭頂，兩肱，曲伸，兩股，曲弓，腰挺起，臀坐力，目注意大指中間平視，一二雲法，手足身法意，要連貫一氣，不停爲佳，

雲法四圖

第五節　搖法

搖法五圖

（化身）左右兩足不動原勢，雙足同時提起往後退步，兩手同足退時，向左陰陽合勁捋力，捋至右手朝上平乳，肘順左膝，左手心朝下，在右肘旁，相離四五寸，肱半弧形，目向右前平視，謂之水生木，

第六節　搖法

搖法六圖

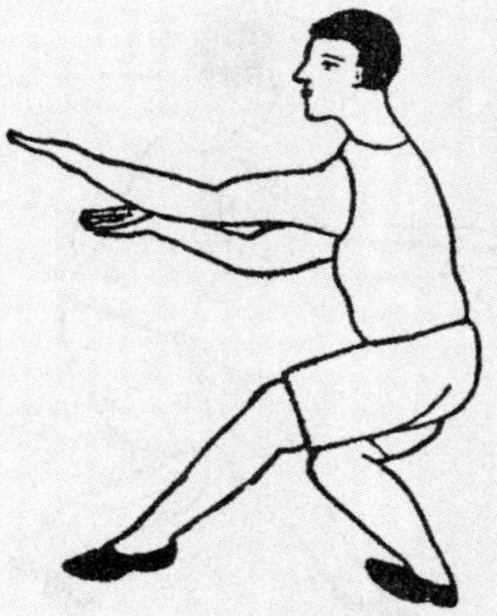

（化身）左足俟兩足同退著地時不停，隨往前進步，右足稍跟，左手同時，順右肱極力往前發出，手心朝下平肩，右手亦同時向裏合勁，手心朝下回拉至左肘下平心口，大指相靠肘，兩肱曲伸合抱，目順左手中指平視，

第七節 挒法

挒法七圖

（化身）左足不動，右足向左斜進步，兩手掌，同足進時，向裏合勁翻上，如端物之意相送前伸，高與鼻平，頭頂，身挺，臀坐，目視兩掌中間，謂之木生火，

第八節　捰法

捰法八圖

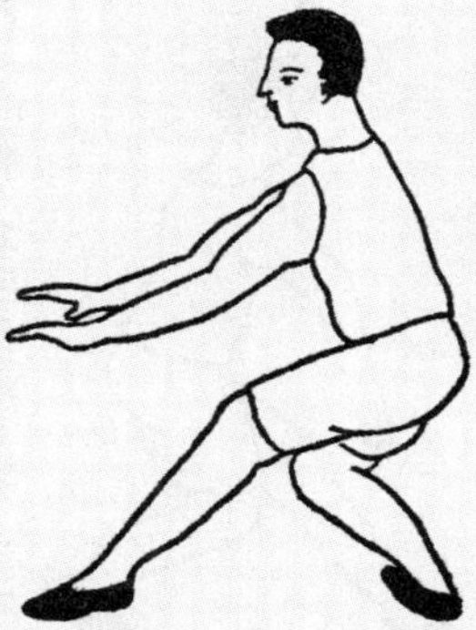

（化身）右足再向左方斜進步，左足隨向左大進步，著地，兩手端物之勢不動，亦同足進時向左搖肩，捰身，俟左足著地，猛將手掌向下翻勁平膊，如手中端物，翻抛擊碎之意，身向上挺力，目向前平視，

第九節　旋法

（化身）左足不動，右手向裏合勁，至手心朝上起鑽，手與頂齊，肱順左肩

旋法九圖

左手向回拉勁，至胯，大指靠臍，右足再向右，斜進步，右手俟足著地時，速向外扭勁，至極處向下抓力，按勁，下捋，順右膝肩，兩肱向裏有抱力，兩足蹬勁，目向右手平視，謂之火生土，

第十節　旋法

(化身)右足不動，左手向裏合勁，至手心朝上，蹭起，肱順右肩，手齊頂，右手微裡合勁，下捋至右胯，左足向左斜進步著地，左手俟足著地時，速向外扭勁，至極點，向下抓力，接勁，下捋，順左膝平肩，兩肱要開展抱力，足蹬勁，目順左手平視，

旋法十圖

第十一節　旋法

旋法十一圖

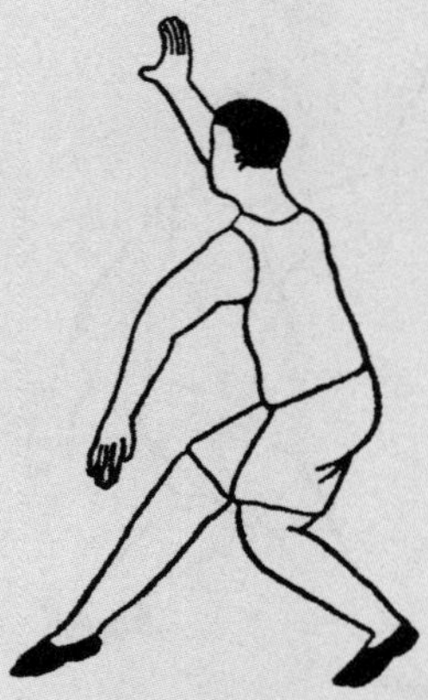

（化身）右足，仍向右斜進步，左右，兩手動作，勁力，神意，仍與旋法九節同，左足仍存原勢，

第十二節　旋法

(回身法)旋法，回身與各法象不同，右足在前右轉身，左足在前左轉身，轉時，前足稍動，後足向前足之外，回扣步，與前足成大斜八字勢，左手同足扣時，向裏合勁，順胸極力擰鑽，上起，手心朝上，高與頂齊，右手，亦同時向下抓力，下捋，手掌至右胯停住，身擰，頭頂，股拗，目向右肩平視，謂之旋法回身，

旋法十二圖

第十三節　飛法

（化身）扣足不動，（即左足）後足，隨轉身時，向前進步仍順，右手同足進時，向裏合勁，至手心朝上齊胸，向前極力伸出，自極度，高與肩平，左手亦同時，向外扭勁，下捋至胸，極力同右手前伸，手心朝上，至右肘下停住，目順右手心前視，謂之土生金，仍與飛法開始相同，再演左手，左足進步，化身，與二節飛法同，回演仍接左手雲法，左右互相演習，依此法推，

旋法回身化身飛法十三圖

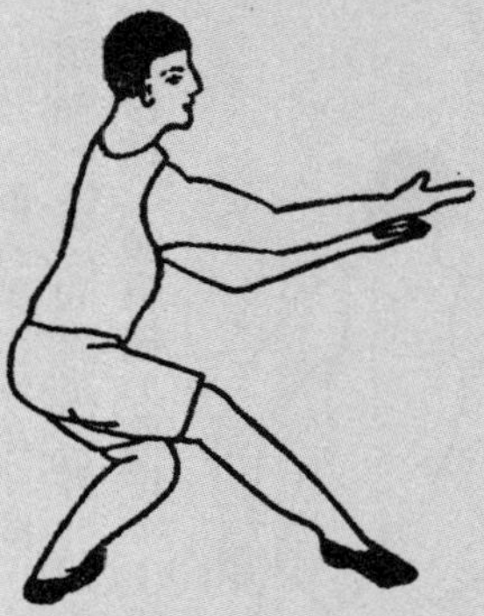

象形拳法眞詮下編

竊考伏羲畫卦，取象而易成，修道之士，演象以延壽，鶴能養神，鹿運尾閭，龜善納氣，天性各賦，有延年之良能，而人不能，故先哲取義於法象也，靈空禪師，忝贊三教眞法，通明禪理，發明玄機，取象於數理，立體於卦象，命名於道統，曰象形術，外形其象，內蘊其意，推演八象之化身，而煉心，煉性，悟三昧之竅奧，而養氣，修眞，且八象之性靈，有三十二法象，億萬化身，只以龍善變化，虎長三絕，猿神靈空，吼獅威容，牛牛蹤力，馬練腹實，象通筋絡，熊練丹田，是術，不爲而健身心，且又專工點穴，（點穴術一書詳細繪圖另付梓行世）其中有法，有則，盡理盡性，若能至誠不息，玩其象，而悟其意，煉其性，而養其神，效其良能，通其造化，可以易骨，易筋，洗髓，而益壽延年，若得其神妙，非口授心傳，學者難得其要素，其象可以形容，其神實難筆述，孟子云，大而化之之謂聖，聖而不可知之之謂神，正是此義，善練者，玩索而得之，則終身用之不盡也，

先後天八卦合一圖

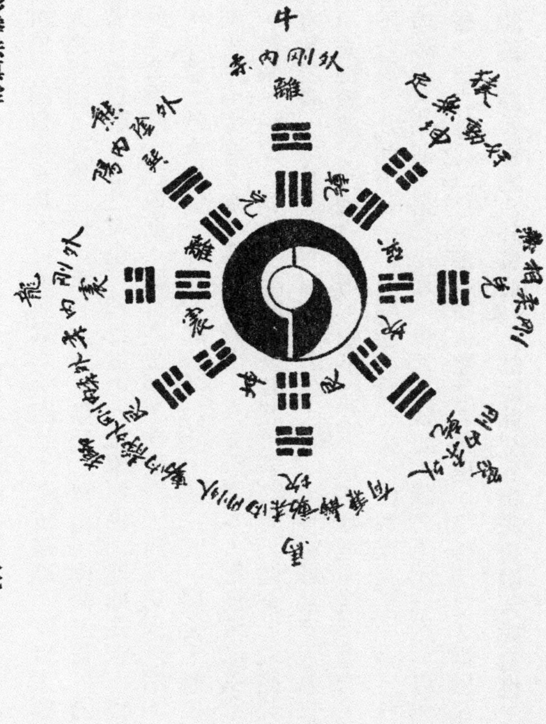

易云，兩儀生四象，四象生八卦，更推演爲六十四卦，參伍錯綜，肇自太極，太極者，先天之祖炁，天地之始，萬物之祖，陰陽之母也，陰陽之母，乃是五行八卦之蒂，五行者，五法身也，八卦者，八法象形也，亦即先天，後天，內卦，外卦，合而歸一之道也，二者之分別，在後天，能爲先天之用，先天，能爲後天之體，性命雙修，即在於此（華陀五禽術論之最詳），無先天，則後天無根本，無後天，則先天不完全，本之爲言根源也，有先天之本，無後天之培養，則入於清靜，無爲，枯禪，寂坐，不能以全其體，若欲先天健全，六陽純正，非借後天有象之身，以行其，有爲生化之道（即五法八象），不能補其先天眞一之祖炁也，但功夫初練時，四體之作用，心不合意，意不合氣，氣不合力，力不合勢，勢不合象，凡此不合，雖有順逆之分，要皆由於先後天不合之故耳，以象形之理而言，分則，謂之先天，後天，合則，謂之混元一炁，以先天言，五法八象無形之意（外靜內動之意），即身中無象之八卦也，以後天言，則四體動轉，開闔，伸縮，即有象之八卦也（八象法身），然從此分，指先後兩天而言也，若合先後天而言之，則曰，太極，太極者，天命之性也，秉於心者，謂性，發於心者，謂意，意之所至，則四體百骸莫不聽其指揮也，若欲練習合一之體，得其神化之道，故須莫犯三害，九要八論更不可失，依象形之規矩，次第運用而習之，久則，若合符節，得其神化之理，不難妙極神明，自然發揮，一至火候純青，剛柔相濟，象無象，意無意，無意之中，是眞意，登峯造極，達其境矣，此八卦八象合一之解釋，練功之要著，殆盡於此，中庸云，不見而章，不動而變，無為而成，其所在斯乎，苟學者，至誠無息，心體力行，通其變，極其數，引而申之，觸類而長之，則斯道之能事畢矣，

第一章　震卦龍象會眞

☳震仰盂，震卦，雷象，震得乾初陽，主生長，其性屬陽木，故居正東木旺之方，取諸身，在臟，為肝，又為心，屬離火，象之於物為龍，龍性陽含巽陰丹經云，龍從火裏出，龍之為物，其動生雲，雲從龍，龍生六氣，在拳象之有六法，（一）降龍法謂龍象蹤（二）雲龍虎顯又謂遊空探爪（三）龍飛萬里又謂神龍闊海翻江（四）神龍縮骨又謂抖甲（五）潛龍在淵飛龍昇天易云在田在天（六）神龍擊地俗稱劈雷擊地以龍之性靈言，神生目，威生爪，炁發丹田，勁起湧泉，剛柔曲伸，纏繞驚抖，隱現莫測，動如雲行萬里，勢猶虎賁三千，與虎炁相接，一昇，一降，互為循還，道家謂之水火相交，外剛，內柔，其象合，心內虛空，清氣上昇，而邪火下降，三田往返，關節通靈，其象謬，則氣努，肝火旺，身被陰火焚燒，而心竅不能開矣，學者，深思格物，勉力求其要義，以術延命，圖解，步徑，列後，

法曰

震卦陽木五臟屬肝　心爲離火龍性起源（古仙云降住眞龍丹可圓）

龍生六氣雲龍虎顯　神威生目烝發丹田

剛柔曲伸莫測隱顯　關節通靈三田往返

心竅開朗道法眞源　龍法心得性源永安（丹經云心性源頭參不透空從旁路去尋眞）

龍象路線

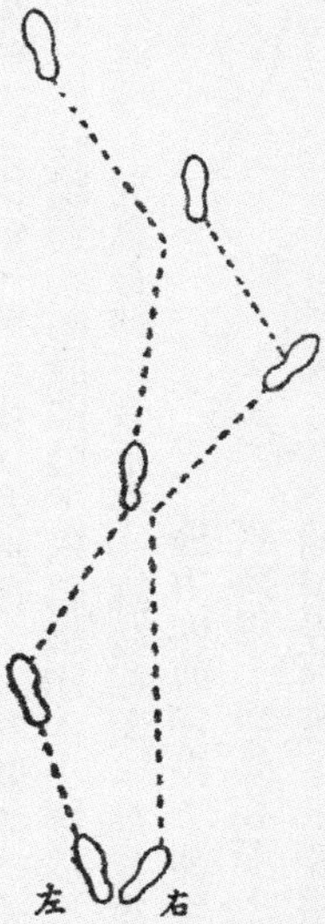

第一節　降龍象

(開始)無極，先將左足向斜，前進步，足心懸起，指抓地，右足不動，左膝提勁，足腕挺力，右膝跪勁，兩股曲弓，兩膝裏扣，小腹放於兩髋根上，腰挺起，兩手同足進時，向裏合勁，合至手心陰陽相對，如捧重物相送之意，極力向前伸出，伸至左手心朝下，高齊眉，與鼻相順，右手心朝上，伸至左手腕下，相離五六寸，平喉，兩肱曲伸抱撐，肩肘鬆開，微要垂勁，頭勁頂起，脊柱直豎，臀坐力，怒目視左手大指，練此勢心內不用力，先要虛其心，聽息下行，至關節通靈時，再化右法象，

降龍法象一圖

第二節　降龍象

(右化象)左足，先向右斜進步，右足，隨同向前大進步，左右兩手心相對不拳回，同足進時，向右陰陽合勁，扭力前伸，右手心朝下，伸至高齊眉，與鼻相對，左手心朝上，仍在右手腕下，離五六寸，平喉，手足身法意，與開始

降龍法象二圖

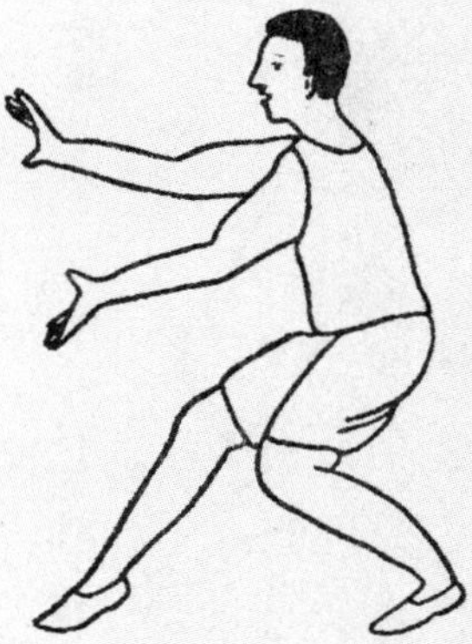

相同，怒目視右手大指，停住，學者，練此左右二象，宜慢不宜速，一勢要站五六分鐘工夫，左右化象，皆依此法，故謂之降龍蹤，龍象各身法，皆用此法開始，書此二圖，以備學者，單習，若演縮骨抖甲，仍歸開始一圖爲之，

第三節 龍象

（化象）降龍一圖，左足，往右足前，斜進步，足尖斜橫向外，兩肱不拳回，左手，同時再往裏扭勁至極處，手心向上，躦過頂抱頭，右手往下合抱伸力，掌心朝內，順左胯，齊脇，兩肱合抱勁，形勢右肩左膝，兩股相拗，頭頂，身擠，骨縮，腹在髂根上，氣沉，丹田，怒目，順右肩上視，謂之神龍縮骨，

神龍右縮骨一圖

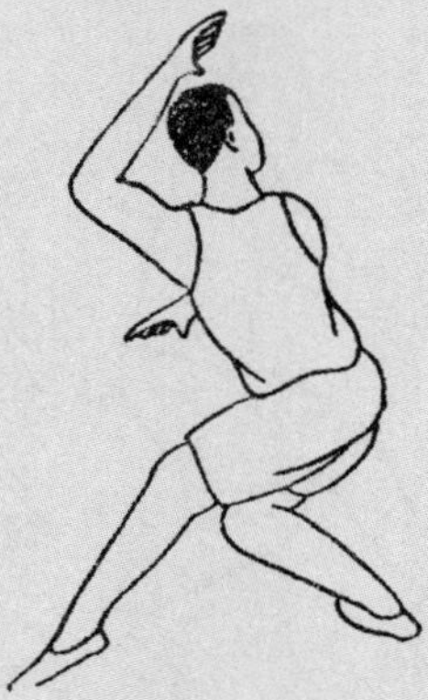

第四節　龍象

（化象）左足不動，右足往前進步，右手同足進時，極力猛向外，往上翻力抖勁，抖至手牛朝前，高齊頂，與膝足相順，左手亦同時向裏合，抓勁，往下捋至手心朝下平臍，相離七八寸，頭頂，身挺，臀坐，尾搖，撓身，怒目，視右手虎口，

神龍右抖甲二圖

第五節　龍象

(化象)左足不動，右足，斜横往左斜進步，兩肱不拳回，右手同足進時，向裹扭勁，至極處，手掌上起過頂抱頭，左手，往下合抱伸力，順右胯齊脇，形勢，勁力，兩肱合抱，左肩右膝，兩股相拗，頭頂，身擠，骨縮，腹在骸根上，丹田沉氣，怒目順左肩上視，手足，身法意，與右一圖同，

神龍左縮骨三圖

第六節　龍象

神龍左抖甲四圖

（化象）抖甲，手足，身法，勁力，神意，與右二抖甲圖同，再演，縮骨，抖甲，仍同前，惟練習縮骨，抖甲，二勢，要一氣呵成，方得其眞意，

第七節　龍象

（化象）右足在前，左轉身，左足在前，右轉身，（右轉回身法）右足稍動，左足向右回扣，進步與右足成大八字勢，兩肱同時合抱力，左肱不拳回，向裏合勁，合至手心半朝上，過頂抱頭，右手亦向裏合抱力，至手心半朝內，在左脇，（相離六七寸）形勢右肩，左膝，兩肱曲抱，兩股曲拗，頭頂，身擠，骨縮，氣沉，腹在髖根，目順右肩平視，再回演，手足，身法意，均與前化象同，左右回身，皆依此推，收勢原地休息，

神龍右轉回身縮骨五圖

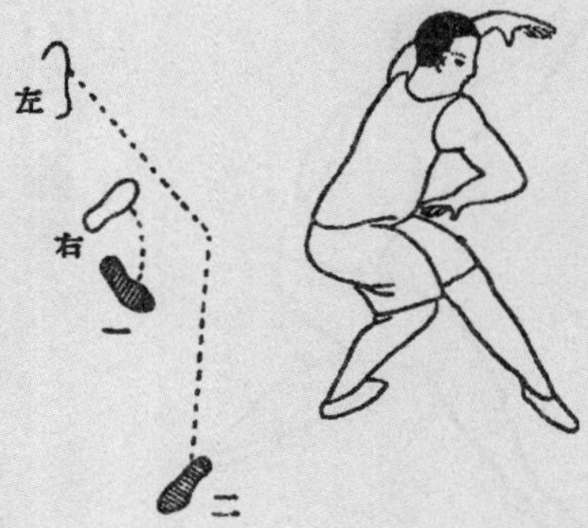

第二章　兌卦虎象會眞

☱兌上缺，兌卦，澤象，得坤末陰，主消化，其性屬金，故居正西金旺之方，取諸身，在臟爲肺，屬陽明燥金之氣，又爲臂，屬坎水，形之於象，爲虎虎性陰含眞陽道經云，虎向水中生，虎之爲物，動則御風，風從虎，虎烝六法，以拳象之有六勢，（一）伏虎法又名虎樁（二）猛虎出林（三）猛虎搖首搏食又名翻蹦擺食（四）猛虎奔坡內藏爬心剖食又名怒虎驚哨（五）猛虎搖首擺尾又名虎坐抖威又名單爪搏食（六）猛虎搜山又名搖首返身以性情言之，虎性靈，精壯有生氣，勁力起於臂尾名督脈穴頭項，爪抓，週身鼓盪，意相搏擊，精烝擢身，神發威嚴神氣精意目力也進退猛烈，橫衝豎撞，浩氣勃勃，呼嘯叱咤谷應山搖，像猶虎賁三千，氣若龍飛萬里，與龍法之烝，聯屬昇降，丹經謂之水火既濟，演龍虎二法非精神圓滿內烝充足不能得其要素形容於拳法，剛柔相濟，法象順，則督脈通，督脈爲百脈之源，仙佛成道之途徑，督脈一通，百脈皆通，則肺金氣合，先天炁足，習久自臻上乘，法象逆，則肺金氣勢，而百脈亦因之不貫通，諸化象亦無法身矣，學者苟細心默悟不難得龍虎二炁之要素，以健身心，而性命雙修焉，圖解，步徑，列後

法曰　兌虎命根五臟屬金　動則脚風猛虎出林（丹經云伏住翼虎命永固）

靈氣貫頂鼓盪週身　象取於拳神氣摧人

勁起臀尾動生風雲　叱叱谷應勃勃精神

虎賁三千威力逼人　虎法心悟立即成眞

虎象合法路線

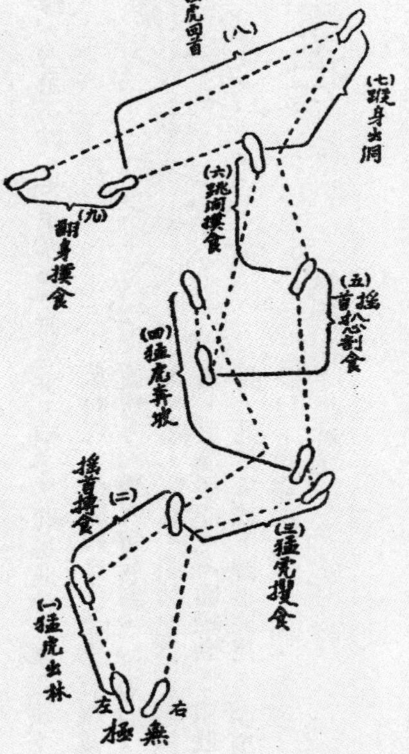

第一節　虎象

（開始）無極，右足不動，左足向左，前進步，兩手，同足進時，掌心朝下，猛向前，平胸撲出，手要有摧搓抓按勁力，兩大指相對，平心口，與鼻相順，兩肱，曲伸抱撐，肩窩吐氣，意達指心，身腰挺勁，兩股形曲，足指抓地，臀坐搖尾，頭頂，怒目，眼順兩大指中間，前視，謂之出林，

猛虎出林一圖

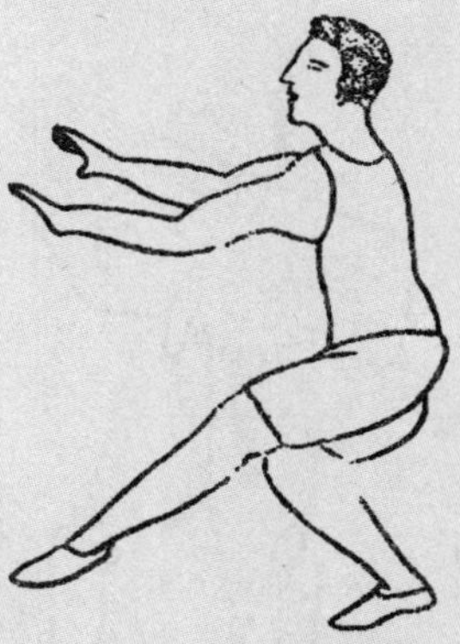

第二節　虎象

（化象）左足，向右斜橫進步，兩手不拳回，掌心仍朝下（虎象之手心朝下演法身永不朝上），同足進時，向右，搖肩，撓肱，手往上起，至平頂，向下斜撲出，撲至兩手平心口，身腰，有擠，縮，伏力，右手肘順左膝，向前曲伸，左手，在右手腕後，兩肱曲伸，兩股剪子股勢，怒目順右手背前視，謂之搏食，

搖首搏食二圖

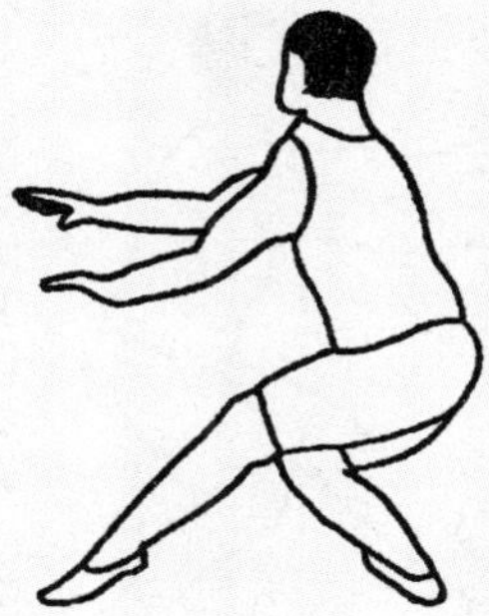

第三節　虎象

（化象）左足不動，右足隨往前大進步，著地，左右兩手，俟右足著地時，極力猛向前推出，兩肱曲伸撐抱，肩要鬆開，拳平，朝前，有摧搓，抓按，勁力，頭欲衝人，足欲踏人，氣欲催人，神欲逼人，威猛迫人，怒目順兩手中間前視，

猛虎伏身攫食三圖

第四節　虎象

猛虎搖首奔坡四圖

（化象）右足稍進，右手，不拳回，掌心向左平合，合至平順左肩，左足隨向前進步著地，左手亦同時順右肱向前推出，平心口，右手俟左足著地時手心合下向後回拉至左肘下臍上，兩足蹬勁，頭頂，腰挺，怒目，順左手背前視，

第五節　虎象

（化象）兩足同時提起換步，右足向右進步，左足向後稍退步，兩足成斜丁勢，兩肱不拳回，右手心朝下同足換步時，順左肱向前伸開，至極處，用抓勁，下按力，高與心口相平，足尖鼻尖相順，左手亦同時抓力，撕勁，向攞至右肘旁平臍，兩肱曲伸撐抱，足指抓地，挺頸，臀坐，胯墜，尾搖，擺身，抖肩，怒目，順右手背前視，

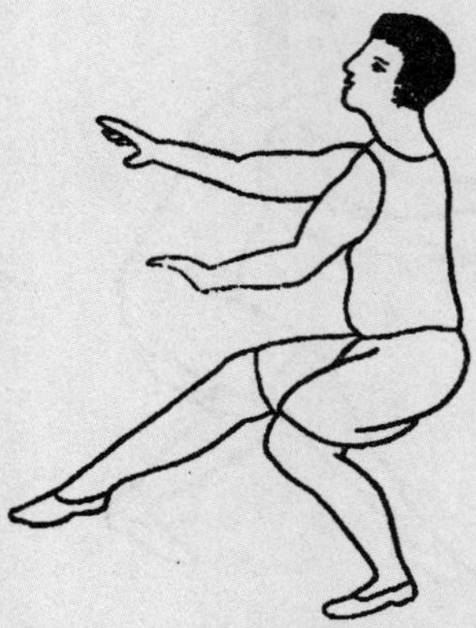

搖首扒心剖食五圖

第六節　虎象

跳澗撲食六圖

（化象）右足不動，左足斜橫，向前進步，左右兩手，同足進時，齊往前伸，出至極處，高平臍右手稍向前，左手在右手腕下，兩肱曲伸，髮剪子股勢，身腰伏勁，臀向後坐力，腹放髮根上，氣沉丹田，怒目，順右手背前視，

第七節　虎象

猛虎縱身出洞七圖

(化象)左足不動，右足向前進步，左右兩手，同足進時，向懷中摟勁，至肘，對臍不停，仍極力猛向前抖勁撲出，掌出平心口，大指相對，頭頂，足蹬，搖首，怒目，坐胯，挺膝，目順大指中間前視，

第八節　虎象

猛虎伏身回首八圖

（化象）左足在前，右回身，右足在前，左回身，回身時，前足微動，後足向後退進步，左右兩手不拳回，向前仍存原勢，身腰伏力，頭頂，往回，後扭勁，神意，怒目，順後餒向前遠視，

第九節　虎象

(化象)左足不動，右足向前大進步，左右兩手，朝下隨足進時，向左一同橫勁斜行撲出，左手稍向前伸，右手在左手腕下，兩肱曲伸，骽似剪子股勢，身腰，下伏，腹在骽根，臀部後坐，頭頂，怒目，眼順左手背前視，再進步，化象，勁力，神意，手足法身，均與猛虎出林一圖同，左右化象，互相聯絡演之均同，數勿拘，推演此合法，須渾貫一氣呵成，不可中間斷意，收勢無極休息，

回首返身搏食九圖

第三章　坎卦馬象會眞

☵坎卦，水象，坎陷也，坎得坤中陽，陽陷陰生，陽入而生潮，故有坎中滿之象，取諸身內，則爲意，意出心源，故道經名意馬，意屬脾爲土，土生萬物，而意，通變萬象，以性情言，謂之心猿，以象形言，謂之馬象，馬是離宮火畜，而居於坎位，坎屬水，故有坎離相交，水火旣濟之功，法象於拳，用言，有龍之天性，有抖毛之威，跡蹄之功，撞山跳澗之勇，外剛，內柔，具有丹田炁滿之能力，中心虛空之妙象，其法象和，心中虛靈，丹田炁足，陰火消減，而清氣上昇，法象不和，則腎水虛弱，先天失調，心中邪火不降，反爲陰邪所侵，各疾因此而生，學者，最宜細心研究，得其妙道，而體健身輕，圖解，步徑，列後，

法曰

坎中水滿意生心源　脾爲後天腎爲先天
意馬心猿坎位中安　法象於拳抖毛跳澗
剛柔兼並炁滿丹田　心中虛靈身輕體健
水火既濟性命雙煉　得其妙道於佛有緣

馬象行步路線

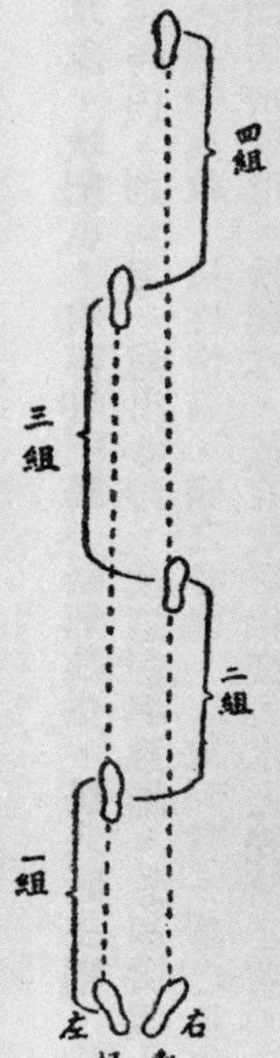

第一節　馬象

（開始）無極，兩足立正面微仰，（練此象先宜調息）從鼻中吸氣，綿綿不斷，一直吸入丹田，微停，（謂之後天深吸機）此時兩股下曲，左足直向前進步，左右兩手同

馬象吸呼二機一圖

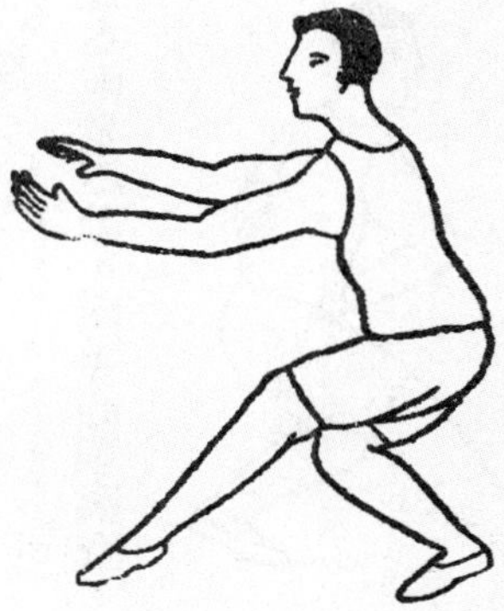

足進時，掌心半朝下，指分開，平小腹一齊極力，猛向前伸，伸至與心口相平，兩大指相對，吸機之氣，俟手足前進發出時，一同呼出（呼機）兩肱曲伸，右膝下跪力，左膝提勁，足蹬力，腹在胯根，臀部下坐，頭頂勁，目順兩掌中間前覷

第二節　馬象

（化象）左右兩足不動，兩手心朝裏合，向懷中抱勁，抱至臍腹，兩手大指，食指，中指，相對成△象形，兩肱肘成陰陽魚象◐鼻子亦同時綿綿不斷，向丹田內吸氣，頭上頂，腰身上挺，兩股內意，似伸，非伸，足指蹬力，目向前平視，謂之坎中滿，（後天吸機）

馬象吸機二圖

第三節　馬象

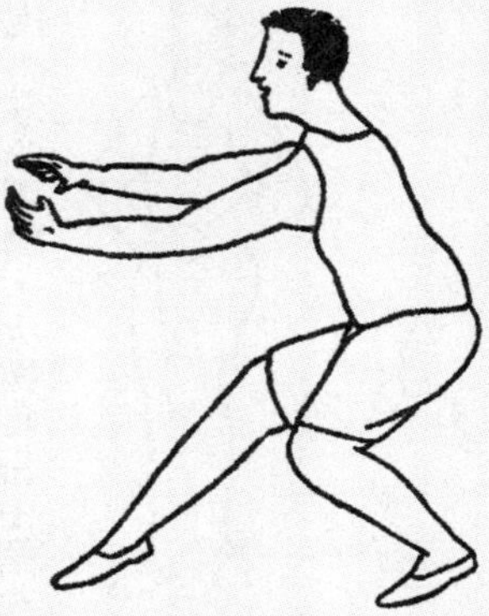

馬象吸機三圖

（化象）左足不進，右足向前直進步，左右兩手同足進時，手心半朝下，從臍向前極力，猛勁發出平心口，吸機之氣，從丹田亦同時呼出，手足，身法意，與一節，一圖同，向前接演，吸機手向回合抱，呼機手向外發出，數勿拘，自便，

第四節　馬象

（化象）左足在前，右轉身，右足在前，左轉身，（右轉回身法）左足向右足傍進步，回扣成大斜八字，右足隨提起並立，足尖著地，左右兩手，同時亦向懷中合抱，掌心至臍，大指食指中指相對，兩肱仍陰陽魚象，氣亦同時吸至丹田，頭頂，身挺，股曲，目向前平視，回演吸機手合抱，呼機手伸出，左右回身均同，練此法象，宜靜不宜動，總宜深呼吸為佳，久練百日純工，則丹田氣足而堅凝，腹硬如石，有不思議之妙趣，老子云，身輕腹實，正是此意也，以後手足動作，皆依法規為之，收勢原地，

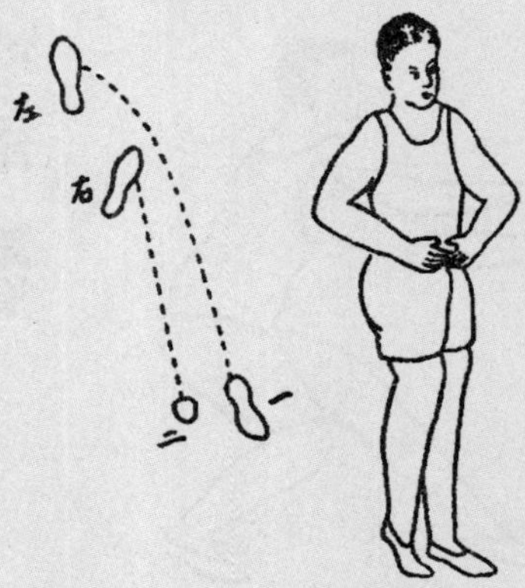

馬象回身四圖

第四章　離卦牛象會眞

☲離中虛，離卦，火象，爲陰中陽，陰借陽生明，故居正南火旺之方，取諸身，爲性，性定爲禪，性動爲機，又爲心，心中有虛空之象，象取於物則爲牛象，牛之爲物，秉土氣而生，有九宮之稱，有火土合德之義，象形於拳，外剛，內柔，兩足能栽根，性有挺頸之力，（挺頸精神貫頂）有擺角之威（骨骼生鋒芒）有厮鬬之勇，與猛虎相搏，而其肘，且具有按點之術，其法象順，則心中虛靈，抑心火，滋腎水，通任，開督，眞精化炁，流通百脈，灌漑三田，驅逐一身之陰邪，滌蕩百脉之濁穢，其象逆，則心竅不開，脾衰胃滿，五臟失調，而象內神化不能得，學者，精力做去，以開心中靈竅，而得神化之妙道，圖解步徑列後，

法曰 動則爲機禪定爲性 心生虛靈道謂空空

通任開督化炁眞精 流通百脈灌溉三宮（黃庭土釜泥丸）

象形於拳擺角挺頸 猛虎相搏欺鬭之勇

肘有按點步行九宮 精力做去神化自生

牛象行步路線

步徑謂之半騎馬勢

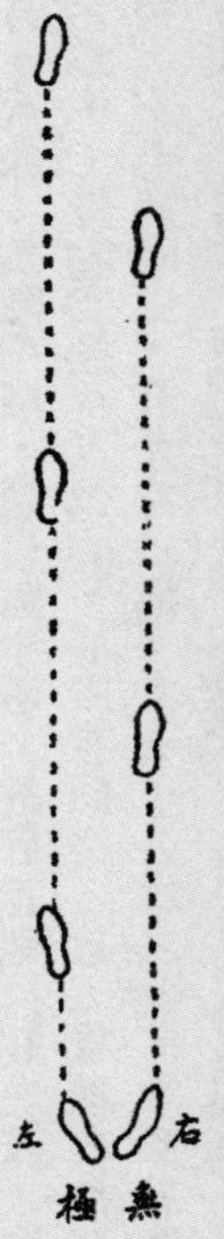

第一節　牛象

(開始)無極，右足不動，左足向前進步，左右兩手，同時攥拳，掌心向下，一齊從小腹，分張伸開平肩，手背向上，虎口相對，離八九寸，兩肱合抱，肘向外扭，兩股曲弓，足坐騎馬勢，臀部下坐，與兩膝蓋平行線稍高，頭頂，身挺，胯墜，氣沉丹田，瞪目向前平視，久練此象，足下能生千斤力，

牛象開始一圖

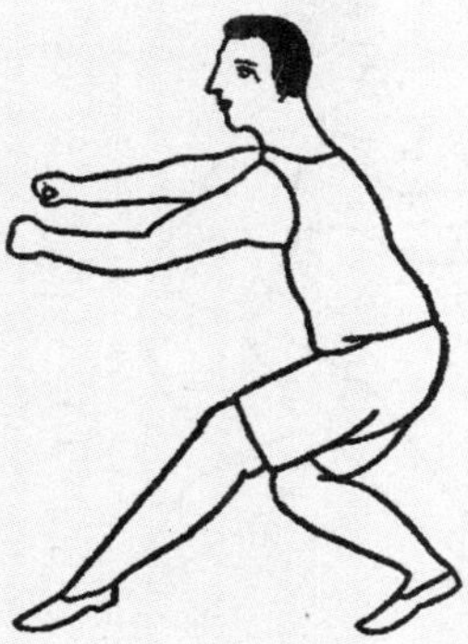

第二節　牛象

牛象化象二圖

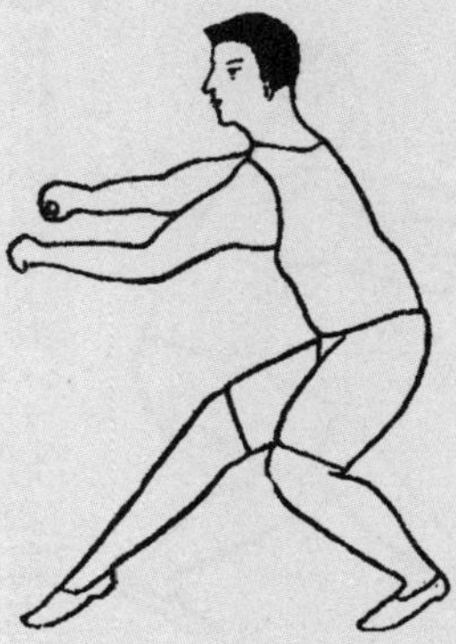

（化象）左足不動，右足半騎馬勢，向前進步，兩肱兩手不拳回，仍存原勢，同足進時，搖肩，提身，手足身法意，與一圖同，左右互相化象，進步皆依此推，數勿拘，

第三節　牛象

牛象回身擺角三圖

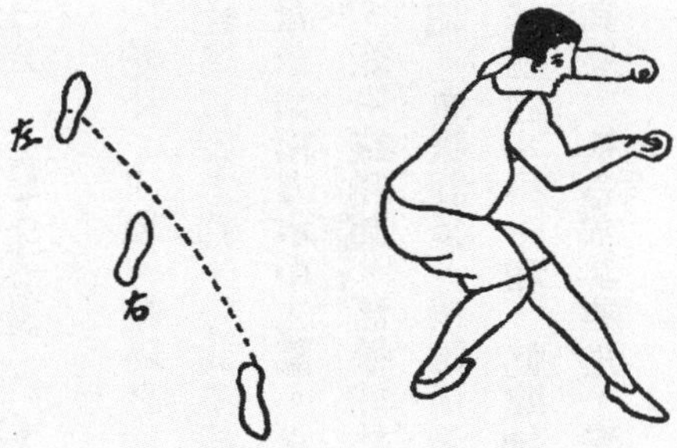

（化象）左足在前，右轉身，右足在前，左轉身，（右轉回身法）左足往右足後進步，扣成大斜八字勢，左右兩手原勢不拳回，右手拳隨轉身時，向裹擠肘，擠至順乳，拳心朝上，左拳亦擠至平肩，兩拳心相對，身腰向右擠勁，目順右肩平視，謂之鬭牛擺角，再回演，兩手，兩足，仍歸原象，左右回身法均同，收勢歸原地休息，

第五章　乾卦象象會眞

☰乾三連，乾卦，天象，乾陽之性也，三爻相連，其性屬金，以象體言，謂之天，以性情言謂之乾，以其不能生育萬物，故退居西北陽弱之方，其象於物，則爲象象爲南方水中之獸，水生木，取諸身則屬肝肺，象之於拳法，外柔，內剛，能附益肝肺，活通筋絡，有曲伸，捲擲之特能，故象勢順，則肺金肝木氣和，血脈舒暢，精神活潑，神力倍增，而無咳嗽目疾之患，法象謬，則乾遇震四體不得中和，乾臨坤心竅不能開朗，筋絡發拘，百骸關節失靈，學者，宜果力精心求其神化，證悟其理，以得其道，圖解，步徑，列後，

法曰

乾卦三連金木之精　退居西北因其不生
物形為象神力無窮　象形於拳身力反弓
筋絡舒暢關節通靈　伸曲捲擲精烝培增
得其神化果力求精　證悟其道即見虛空

象形進步路線

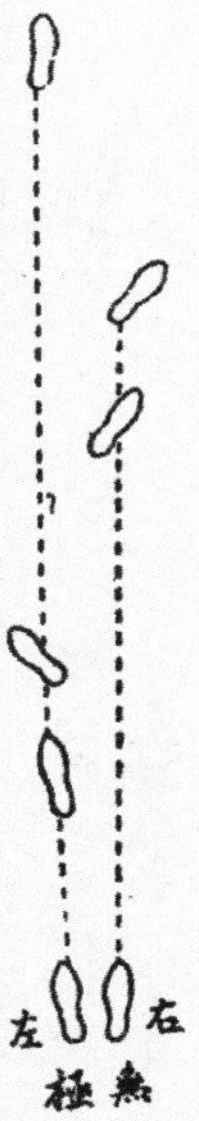

第一節　象象會意

(開始)無極，左足向前直進步，右足不動，左右兩手，同時，掌心半朝上，平心口，向前直伸，伸至與頂相齊，左掌順鼻，右掌，中指，食指，無名指，在左手腕下，相靠，兩肱曲伸，肩鬆開，兩股曲弓，臀坐，胯墜，足蹬力，目順左掌心前視，

象象開始一圖

第二節　象象

（化象）再將左足尖向外斜橫進步，右足仍不動，左右兩掌心，同時往裏合勁

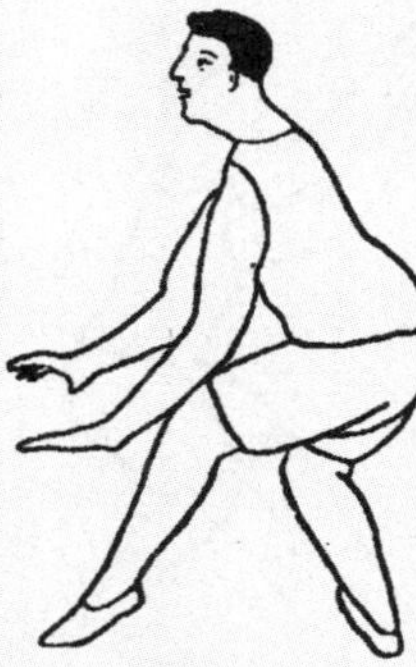

象象二圖

，陰陽相合，向下捋，身子亦向下伏，右手肘捋至在左膝，左手捋至在右肘下，兩掌心，半陰陽相對，身法，右肩，左膝，兩股剪子拗勢，臀後坐，頭頂力，目向上視，

第三節　象象

(化象)左足不動，右足向前直進步，兩掌心相對，同足進時，一齊向上伸出，身子亦挺勁，右掌心半朝前，伸至左掌腕下，兩肱曲伸，肩鬆開，兩足蹬勁，兩股曲弓，目順掌前視，再向前演，兩手陰陽向下捋勁，身子下伏勁，與二節二圖同，再化象，三圖同，左右互相化象，均同，數勿拘，一二三圖，要一氣呵成，不可中間斷意，

象象三圖

象象左轉回身四圖

第四節　象象

(化象)左足在前，右轉身，右足在前，左轉身，(左轉回身法)右足向回扣步，足尖與左足尖相對，左手同時向裏擰勁，擰至手心朝上齊頂，右手向下合勁，合至左肘下，左足隨同前淮仍順，兩掌相對，亦同時擰勁向前伸出，伸至與頂相齊，兩肱曲伸，身腰挺力，臀下坐勁，目向左手背前視，左右回身，手足，身法，意，均同，收勢歸原地休息，

第六章　艮卦獅象會眞

☶艮卦，山象，艮止也，艮得乾之末陽，主靜，其性屬陽土，故居東北陽弱之方，取諸身內，則爲胃陽之氣，以胃氣滋生各臟，故象發於外，而化身萬象，取諸於物爲猛獅，其象生威嚴，其性最勇猛，有攫食虎豹之力，有抖毛之威，象取於身心，蘊於內者爲意，意可蘊，亦可發，意由心出，性由心生，性定神寧，則心藏於淵謂之聚精會神氣要綿綿，三田上下而往返，精炁透泥丸此節爲靜功妙道，發於外而爲獅象，以四體，百骸，運用而形其象，效其神意，威嚴猛烈，龍蹲虎坐，搖首怒目，幌身擺尾，而運尾閭，坐胯挺膝，而倒委窩，神發於目，威生於爪，炁發丹田，勁起湧泉，頭頂，足蹬，肩垂，兩肱抱撐，神意勁力也貫爪，丹田蓄炁吐氣發聲鼓盪週身，呑吐驚抖，關節靈活，筋絡伸縮有繼續縮放力勁如神龍探爪，蹄似猛虎出林此法象內含龍虎二炁故有是論神意合一，光線芒芒，長伸有攻擊力大撲（有擒拏力）短用（有返弓力）猛翻（有蹦蹤力）神氣逼人，身力摧人，步要過人，足要踏人，手要抓人，大小關節，無處不有分爭含蓄混元力，外柔，內剛，外靜，內動，有丹田炁足之妙，有中心虛空之靈，其象順，誠於中發於外，其象逆，而神炁虧，難入其境，學者，深思格致，以得其神意，圖解，步徑，列後，

法曰

獅象性體其靈最猛　抖毛之威虎豹心驚

取之於意心定神寧　尾閭中正精炁貫頂

炁生綿綿即是禪功　象形於拳神威爪鋒

丹田蓄炁吐氣發聲　鼓盪週身吞吐抖驚

關節靈敏中心虛空　得其妙埋法象爲宗

獅象行動路線

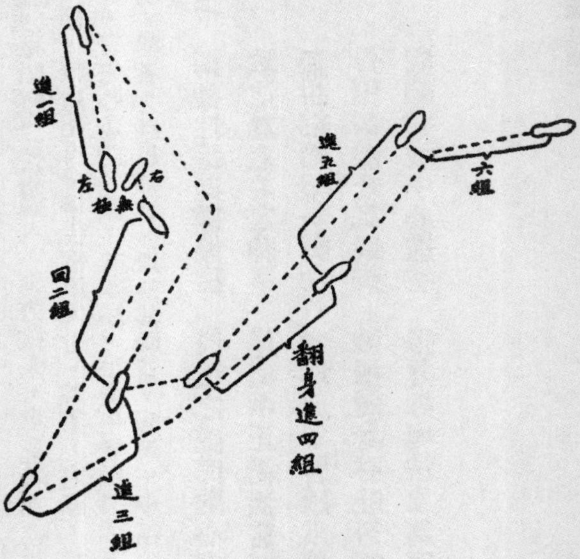

第一節　獅象

（開始）無極，右足不動，左足向左進步，左右兩手，掌心半朝前，同足進時，平胸猛向前，一齊撲出，與心口相平，兩大指相對，掌有摧搓抓按勁力，兩肱抱撐曲伸，肩窩吐氣，力貫指心，身腰挺起，兩股弓曲，足指抓地，頭頂，目怒，尾搖，坐臀，精氣摧人，目順兩大指中間，前視，

猛獅滾球一圖

第二節　獅象

（化象）右足向後退進步，左足隨向右轉身大進步，進至右足前，左右兩手不拳回，掌心向下，同足進時，用橫勁挺力，往右畫半弧形，俟右手順右胯時，向回攏勁合抱，抱至肘順心口，掌心半朝上，左拳亦抱勁，合力至右腕傍平肩，相離七八寸，兩掌半相抱，似抱球之意，身腰擰勁，兩股相扣合拗，目順右肩前視，

猛獅回首抱球二圖

第三節　獅象

（化象）左足不動，右足向右前進步，左右兩手同足進時，身腰挺勁，一齊向前，猛烈右擒摧搓撲出，兩肱曲伸，大指相對，指掌有摧搓抓按力，臀後坐勁，兩股曲弓，足指抓地，頭頂，怒目，搖首，擺尾，鼓盪週身，神氣逼人，口向兩大指中間前視，

猛獅滾球三圖

第四節　獅象

（化象）左足在後之足向回後退進步，右足隨轉身斜橫，向左足前大進步，兩肱不拳回，掌心朝下，同足進時，一齊向左搖肩幌肱，手往上起俟至頂斜橫向前撲出，撲至兩掌在心口下，與左膝相順，左手前伸，右手在左手腕後，兩肱曲弓，身腰有擠縮伏力，兩股弓曲相拗，頭頂，怒目，順左手背前視，

猛獅翻身撲球四圖

第五節　獅象

（化象）右足不動，左足向前進步，左右兩手同足進時，身腰挺勁，極力一齊，猛向前，平胸撲出，兩掌半朝前，有擺摟抓接勁力，兩肱曲伸抱撑，肩窩吐氣，神意貫指，頭欲衝人，足欲踏人，爪欲抓人，神欲逼人，氣欲摧人，搖首，擺尾，坐胯，挺膝，怒目，前視，

猛獅搓球五圖

第六節　獅象

（化象）左足不動，右足向右進步，左右兩手陰陽相合，向左捋勁不停，同足進時，向右極力猛烈撲出，與第一節，開始一圖同，

猛獅搖首撲球六圖

以上六節，謂之左開始，化象，再演，右化象，六節，爲右一圖之開始，二，三，四，五，圖，手足，身法，勁力，神意，均與左化象同，收勢，歸於左開始一圖休息，

第七章　巽卦熊象會眞

☴巽下斷，巽卦，風象，巽入也，巽得坤初陰，主潛進，其性屬陽木，故居東南陽盛之方，其於物也爲熊，熊之爲物，其性最鈍笨，而剛直不曲，象最威嚴，有竪項之力，其象外陰而內陽，屬之人身爲肝，能使心中虛靈下歸丹田，眞精化炁，補還於腦（古仙云欲得不老還精補腦正是此象之要義）法象於拳，以心意效其性能，有提海（下丹田腰身）移山（兩傍）之力，有拔山之能，鬥虎之勇，抖擻之猛，其象順，則眞精化炁，穿關，透頂，入泥宮，永無頭痛肝目之症，其象不順，則眞勁不能貫徹四體，流通百脈，反爲陰火所侵，心竅不能虛空，而生頭眩目暈之疾，學者，於此法象，當至誠無息，以求其眞意，而得之於心，圖解，步徑，列後，

法曰　熊之爲物其象威嚴　外陰內陽身中心肝
靈性下降水火往返　意效其象撹海移山
抖擻門狠精神勇敢　眞精化炁上昇泥丸
流通百脈灌漑三田　得其妙道體健身安

熊象行步線

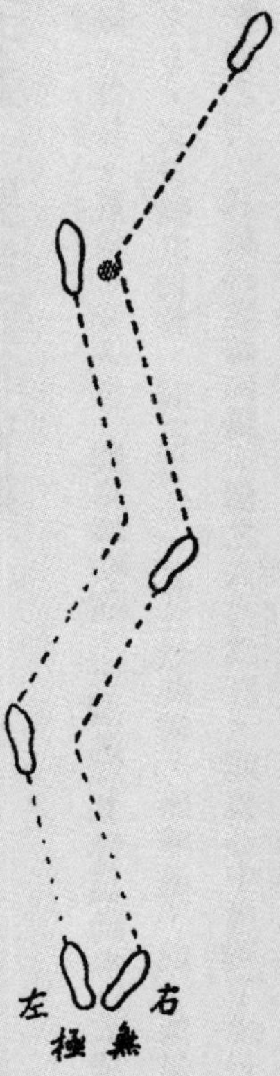

第一節　熊象

（開始）無極，左足向左進步，左手同時，向左順膝，掌心半朝上，上起推出（似推物之意），肱半曲伸，肘暗含勁，指掌平肩，右肱肘，向裏合扭力，扭至右掌心朝下，向後在胯，兩股勢曲，頭頂，提肩，搖身，挺腰，沉氣，坐臀，目順左掌大指稍前視，

老熊出洞左推山一圖

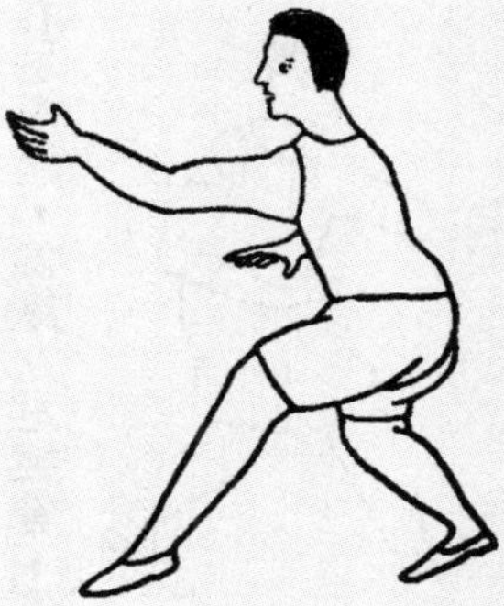

第二節　熊象

（化象）左足不動，左掌向裏合勁，合至手心朝下，順膝下攞至左胯，手指向外扭，右足提起，俟靠左足脛骨不停，隨向右進步，右手亦同時，向裏合勁，合至掌心朝上，順膝向右推出，平肩，肱半曲伸，肘暗含勁，搖肩，撥身，頭頂，尾擺，目向右掌上視　再化象，進左足出左手，進右足出右手，左右互相化象，手足身法，神意，皆與一二圖相同，數勿拘，

老熊化象右推山二圖

第三節　熊象

老熊左轉身望日三圖

（化象）左足在前，右轉身，右足在前，左轉身，（左轉回身法）左足後退進步，右足隨轉身，向左足傍前進，扣步與左足成大斜八字勢，左手原勢，仍在左胯，右手隨轉身，向裏合勁，合至掌心朝上齊鼻，肱半曲伸，肘暗含勁順右膝，目向左斜上視，再化象，右掌下落，左掌上起推出，仍歸原象，左右回身法依此，收勢原地休息，

第八章　坤卦猿象

☷坤六斷，坤卦，地象，順陰之性也，其性屬陰土，以象體言，謂之坤，以性情言，謂之地，其於物也爲猿，性最機警而靈巧，有縱跳之神，伸縮之法，化身變象不測之妙，取之於身內爲心，心爲一身之主宰，心定則神寧，心動則變化萬象，猿性好動而無定，人心好動，出入無時，莫知其鄉，取名心猿，正此義也，道經有言，鎖住心猿爲修性，拴住意馬爲立命，譬喻至爲顯著，象形於拳，其功用，有封猴掛印之精，有偸桃上樹墜枝之性，有返身旋轉，三閃六躲之靈，法象順，則心內虛空，而神炁圓滿，身輕體健，動轉靈活，法象逆，則心竅不開，靈光不生，骨節失靈，四體失和，迄無學成之一日焉，學者，倘虛心誠意，仿之，效之，積久而神意逼眞，其象成矣，圖解，步徑，列後，

法曰　猿之爲物其性最靈　三閃六躲天生奇能
法象於拳蹤跳身輕　取諸人身心無定形
心若大定即得禪功　至誠無息法象神通

猿左右化
象路線

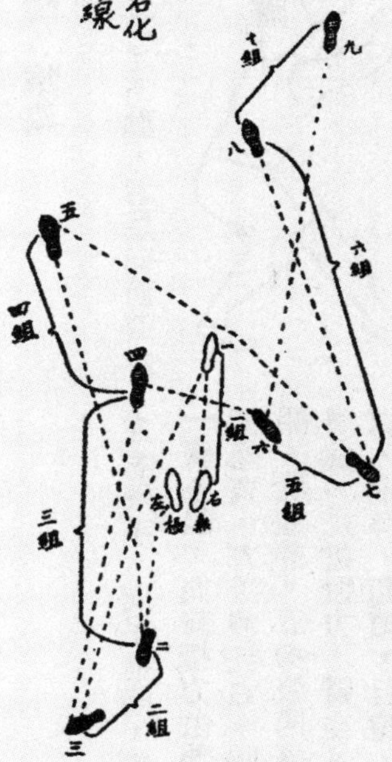

第一節　猿象

（開始）無極，左足不動，右足向前進步，左右兩手，同足進時，掌心朝下，一齊上起，向前極力出伸，右手伸至過頂，左手伸在右手腕後，肩鬆開，肱曲伸，五指張開抓力，兩股勢曲，足指蹬力，臀坐，尾擺，搖肩，攏身，頭頂，目瞪，眼順右手背前視，

老猿掛印一圖

第二節　猿象

老猿轉身回首望月二圖

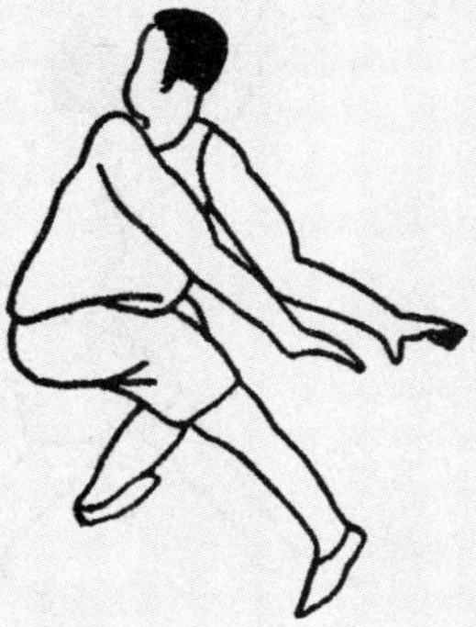

（化象）「左轉身」左足向後退進步，右足尖斜橫向左轉身，進步著地，兩股相拗，左右兩手亦同時往回攦勁，俟右足著地不停，順左膝向前直伸，手心朝下，右手心朝下伸至掌在左肘，身腰向下伏勁，頭向後扭，目向後上視，

第三節　猿象

（化象）左足稍動，右足回退，向前進步，左右兩手陰陽相合捋勁，俟右足前進著地時，一齊向前伸開不停，再向右扭，扭至左手心朝上齊鼻，右手扭至掌心朝外齊眉，兩肱皆半圓弓，兩股弓曲，相拗，法象，左肩，右膝，身腰擰力，目順左掌上視，

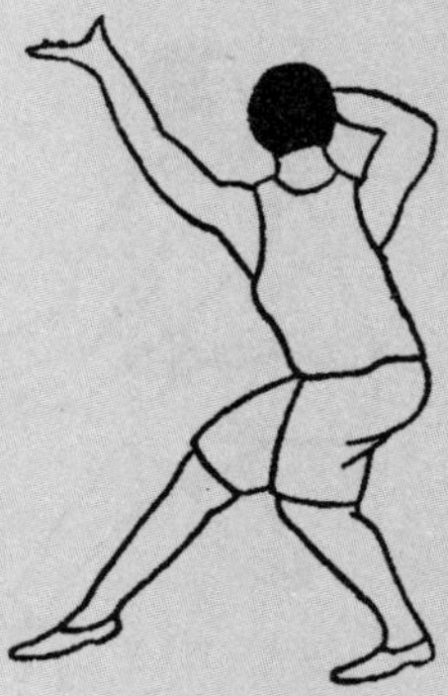

老猿墜枝摘菓三圖

第四節　猿象

（化象）右足不動，左足直向前進步，左右兩手，陰陽下合，一齊向左擄，至右肘順左膝，掌心朝上齊鼻，左肘擄至平肩，掌朝外齊眉，此兩手法不停，左手下合，順右肱向前直伸過頂，手心朝下，右手裹合，手心朝下，回拉至左腕後肘前，兩肱直伸，指爪有抓力，摇肩，挽身，目順左手背上視，與第一節開始一圖同，〇以上四節謂之右開始，再演左化象，四節爲左一圖之開始，二，三，四，圖，手法，身法，神意，均與右化象同，收勢歸於右開始一圖，休息，

老猿抖身四圖

燕南薛顛著

象形拳法真詮

趙元禮題

序

国民习于弱，始[①]归咎于体力之不强；国俗皆右文[②]，乃[③]慨叹于武学之不振，呜呼惑已[④]！夫熊经鸟伸[⑤]，传自上古；少林武当，拳家辈出；吾华武术，岂真后人[⑥]？顾[⑦]谙[⑧]武事者，或则粗野无识，惟知以力凌人；或则秘而不宣，惟恐以武犯禁[⑨]；驯致[⑩]御侮强身之术，起衰立懦[⑪]之功，不能传之人人[⑫]，渐成此萎靡无气之风习，滋可惜也！我友薛君颠，河北奇士也，精技击，通内功，复能不吝[⑬]所知，欲尽所学之秘传，笔之于书，公之当世。前曾著《形意拳讲义》[⑭]出版，早已风行南北，纸贵洛阳[⑮]；近复[⑯]著《象形会真》[⑰]一书，于击刺腾闪之法，俯仰进退之方，罔不[⑱]详晰指明，便人人无师自习。取象于狮熊猿鹤，而归本于练气练神，盖术也而进乎道已[⑲]！予于武学一无所晓，力不能缚一鸡，而薛君乐与予谈，且示此编嘱为之序，予将何以为言哉？惟期此书一出，青年有志，人手一编，修养身心，共臻[⑳]强固。更愿海内武学家，人人能志薛君之所志，各出其不传之秘，以牗民而觉世[㉑]，俾国人共同研习，体力资以锻炼，一洗从前荏弱[㉒]不振之习，蔚成国民知方有勇[23]之风，则薛君此编，功用将影响全国，不其伟欤！

民国二十二年二月湘潭吴家驹[24]

注释

① 始：才。

② 右文：以文学为右，即重文轻武。

③ 乃：才。

④ 惑已：糊涂啊！

⑤ 熊经鸟伸：像熊吊在树上，像鸟伸直腿。

按：这是古时五禽戏的锻炼方法。

⑥ 后人：落后于人，比别人（即外国人）落后。

⑦ 顾：只是，只不过是。

⑧ 谙：谙熟，懂得。

⑨ 以武犯禁：《荀子·五蠹》："侠以武犯禁。"意思是侠客、武者凭借武力干犯国家法禁。

⑩ 驯致：渐渐导致。驯，音 xùn，逐渐。

⑪ 起衰立懦：使衰病者健康起来，使懦弱者强大起来。

⑫ 人人：每个人。

⑬ 吝：吝惜。

⑭《形意拳讲义》：指《形意拳术讲义》。

⑮ 纸贵洛阳：也作"洛阳纸贵"，比喻其书受读者欢迎，好卖难买。

⑯ 复：又。

⑰《象形会真》：指《象形拳法真诠》。

⑱ 罔不：无不。

⑲ 己：原文“己”误，当作“已”字。

⑳ 臻：达到。

㉑ 牖民而觉世：诱导人民，觉悟世人。牖，通诱，诱导。

㉒ 荏弱：柔弱，怯弱。

㉓ 知方有勇：勇敢且懂理。《论语·先进篇第十一》：“比及三年，可使有勇，且知方也。”

㉔ 吴家驹：字子昂，湖南湘潭人，1902 年官费留学日本，毕业回国后任教于天津北洋法政专门学校。写此序期间任河北省立法商学院院长、法律系主任等职，1934 年辞职。1951 年 12 月被聘任为中共文史研究馆馆员，1964 年 10 月病故，终年 86 岁。

序

自欧西[1]火器[2]输入中国，而拳勇刺击之学遂废不讲[3]。夫文明国民，各有其独精之技能，为世罕觏[4]，尠[5]如日本尚能传其柔术[6]，以夸于世。如中国之大，乃[7]于先民所遗[8]武术，罔知研索[9]，是诚有心人重为大息者矣[10]！薛君颠手著是编，盖参会华氏五禽经[11]而得其奥者，学者神而明之，足以却病延寿，用人胜天[12]，视世所谓武术者，又高出百倍！兹以求之者众，乃付手民[13]，以公于世，所以振国民之精神，健青年之体育者，吾知其未有艾[14]也！爰缀[15]数言，以志景仰。

中华民国二十一年岁次壬申九月溇阳张廷谔[16]撰

注释

① 欧西：西方。

② 火器：火枪、火炮等热兵器。

③ 废不讲：即“废而不讲”，废置而不讲习。

④ 罕觏：罕见，很少见。觏，音 gòu，遇见。

⑤ 尠："鲜"的异体字，后同。这里是人少国小的意思。

⑥ 柔术：现称"柔道"。

⑦ 乃：却。

⑧ 所遗：所遗留下的。

⑨ 罔知研索：不知道研究。

⑩ 是诚有心人重为大息者矣：这真是让有心人重重叹息的事！大息，太息，叹息。

⑪ 参会华氏五禽经：通才融会华佗氏的五禽戏。

⑫ 用人胜天：以人力胜天命。

⑬ 手民：排字工人。

⑭ 艾：止，尽。

⑮ 緻：此字为"致"的繁体字，唯在表示"精密""细密"之意时可用，此处当作"致"，表达之意。

⑯ 张廷谔：中华民国政治家，1890—1973 年，字直卿，河北丰润人，曾任北洋政府国务院秘书长，两次出任天津市市长。

序

盖[1]闻[2]德育、智育、体育三者为立身之要术，亦[3]治国、平天下之大经[4]，凡古往今来之大英雄、大豪杰，莫不根基乎此。然物有本末，事有终始，谚云："欲为健全之事业，必具健全之身心"，所以士[5]欲充其德智而成大英雄豪杰以平治天下国家者，必先由锻炼身心始。吾国体育一道，发明最早，起自伏羲画卦[6]，内运先天之炁以存意，外象[7]鸟兽之势以为形，意象交修[8]，而内外固矣。厥后[9]锻炼身心之术，代有发明，如华佗之五禽戏、宋元之南北宗[10]是也。然大半言术不言理[11]，率多知其然，而不知其所以然。惜乎愈传愈讹，迷入歧途而终身不返，甚者欲益反损，求其能身心交修、易理透彻者不可多觏[12]，诚可痛惜。即或间有一二杰出者得其窍要，然非心性褊狭，即粗鄙不文[13]，其教于人也，语焉而不详，传焉而不精，使学者迷离惝恍，如堕云雾，而欲登堂入室，亦已难矣！迩来[14]我国鉴于人民之日弱[15]、国家之式微[16]，遂竭力提倡国术[17]，以资图强，然教者虽多，精者殊尠[18]。吾师薛公号颠，原籍河北束鹿县人，天资既深，造诣尤宏。曾受业于虚无上人，亲承口讲指画[19]，面壁十稔[20]，尽得三昧[21]。

所谈皆易理、易数，所演皆象势、象形，全革[22]花势浮文之俗套。阐扬禅理，发为武术，学者一经指授[23]，莫不洞明窍要。不但仅能锻炼身体，且可由此明心见性，小之则能独善其身，大之可以兼善天下。倘能人人明而习之，又何忧身之不健而国之不强乎？吾师苦口婆心，设馆授徒，虽盛寒暑[24]不辍，然犹恐不能普及全国，流传久远，复发为文章，著《象形术》[25]一书以广播扬，其用心深远，良可钦仰[26]！捷亲承教益，微有心得，又承嘱为誊写付梓，用特不揣[27]，作序以介绍于有志之士，希共登道岸云。

中华民国二十年十月受业门人卢克捷谨序

注释

①盖：发语词。

②闻：听闻。

③亦：也是。

④经：常道，规范。

⑤士：士人，男子。

⑥伏羲画卦：伏羲即包牺，神话中的人类始祖，传说八卦是他发明的。《周易·系辞下》："古者包牺氏之王下天也，仰则观象于天，俯则观法于地，观鸟兽之文，与地之宜，近取诸身，远取诸物，于是始作八卦，以通神明之德，以类万物之情。"

⑦象：模拟，模仿。

⑧意象交修：内意与外形结合起来修炼。

⑨厥后：其后，从那以后。

⑩ 南北宗：道家南北宗。

⑪ 言术不言理：只讲方法不讲理论。

⑫ 不可多覯：不可多遇。覯，音 gòu，遇见。

⑬ 不文：没有文化。

⑭ 迩来：近来。

⑮ 日弱：一天天衰弱。

⑯ 式微：衰微。式，发语词。

⑰ 国术：武术。

⑱ 殊尠：极少。

⑲ 口讲指画：口里讲解，手指比画，即讲解和示范。

⑳ 面壁十稔：面壁十年，这里是说，经过十余年的学习。稔，音 rěn，年。

㉑ 三昧：诀要或精义。

㉒ 全革：完全革除。

㉓ 指授：指点、讲授。

㉔ 盛寒暑：盛寒盛暑。

㉕《象形术》：指《象形拳法真诠》。后同，不另注。

㉖ 钦仰：钦佩、仰慕。

㉗ 用特不揣：因此特意不揣浅陋。用，因而。

自序

法曰

虚无上人法号灵空　　五台南山卓锡崇峰[①]
花甲两度其颜犹童[②]　　求真访道三教[③]精通
参赞古易象理禅宗[④]　　以术延命普度众生
负荷兹道[⑤]传之无穷

间维[⑥]锻炼身心，术亦多矣。创于古者，为熊经鸟伸、呴吸导引，华佗氏之五禽戏是也。盛于今者，为各项运动，孙唐氏之体操法[⑦]，冈田氏之静坐法[⑧]是也。然前者去古弥[⑨]远，久失真传；后者肤浅平庸，不足为训[⑩]。吾人生当晚近[⑪]，不及私淑古人[⑫]，欲求一性命精修之道，诚有如暗室中摸索纤微之物，终于取得无从[⑬]，岂非恨事[⑭]！就令[⑮]有一二师资，出而任此启承[⑯]重责，往往因遇非其人，不肯轻予授与。或虽遇其人，而机缘不合。非浅尝辄止，废于半途，既务广而荒，莫精一技；[⑰]甚至愈演愈远，歧而又歧，不惟身躯无自健全，且有病害中[⑱]于肢体，终身成为废疾者[⑲]，比比皆是，讵非至可痛心者乎[20]？吾师虚无上人，法号灵空，卓锡五台，功行[21]圆满，已得上乘法，而犹以不获造极[22]、普济群伦[23]为歉，年高已至花甲两度，仍遍历二十四省名山大川，寻师访道。积时既久，爰本夙得三教真旨之窍奥[24]，精研内家外家之功，运用先天固有之真，培养后天有象之体。近取诸身，远取诸物，[25]推演变化，妙极神明。内运其意，外发其象。象由于意，致意实在于象先[26]。故象形者，即诚中形外意也。盖有象而外，全非真象；无意之中，确有真意。法曰："有象有意，不成妙意；即象即意，不可思议。"此非浅造者[27]所能领会万一[28]也！吾师以先知先觉之资，负启导后知后觉之责，迷途指径，正路可由。倘习斯道者，真能悟其真意，运彼性灵，[29]通其变化，内外和合而神完，精炁坚凝而性定，健行不息，效用渐积而宏大，其身有不健、寿有不延者，无是[30]理也。颠不敏[31]，亲炙于[32]吾师之门，几易葛裘[33]，虽精究其法术，愧仍未尽其神化，但恐斯道自我得之，复自我失之，[34]上无以对吾师，下无以慰同好[35]，特草是编，以公世人[36]，并为吾师广播善缘耳。是为序。

中华民国二十一年束鹿县薛颠著于天津国术馆

注释

① 五台南山卓锡崇峰：住在五台山的崇峰之中。卓锡，僧人在某地居留叫"卓锡"，卓，直立。锡，锡杖，僧人外出用的东西。

② 花甲两度其颜犹童：已经一百二十多岁了，还能保持童颜。花甲，六十岁。

③ 三教：儒教、佛教、道教的合称。

④ 参赞古易象理禅宗：研究精通周易和佛学禅宗。参赞，参与佐助。象理，研究整理。

⑤ 负荷兹道：承担此道。负，背负。荷，肩扛或挑。兹，这。

⑥ 间维：四维之间，即天地之间。四维，地的四个角叫“四维”。

⑦ 孙唐氏之体操法：德国人孙唐的体操法。孙唐，即尤舍·山道（1867—1925 年），创“体力养成法”，是现代健美运动之父。

⑧ 冈田氏之静坐法：日本人冈田虎次郎的静坐法。

⑨ 弥：更，更加。

⑩ 训：典式，法则。

⑪ 生当晚近：生在现在。

⑫ 不及私淑古人：没赶上成为古人的私淑弟子。私淑，没有得到某人的亲身教授而又敬仰其学问并尊之为师的称为“私淑”。

⑬ 终于取得无从：最终无从得到。

⑭ 恨事：憾事。

⑮ 就令：就算，即令。

⑯ 启承：承前启后。

⑰ 非浅尝辄止……莫精一技：不是浅尝辄止，半途而废，就是贪图多学而荒废，一门也不精通。

⑱ 中：击中，打中。

⑲ 废疾者：残废有病的人。

⑳ 讵非至可痛心者乎：这岂不是很让人痛心的事情吗？讵，音jù，岂，怎。

㉑ 功行：功夫。

㉒ 造极：达到极端水平。造，达到。

㉓ 群伦：大众。

㉔ 爰本夙得三教真旨之窍奥：于是根据夙昔得到的三教真义的窍奥。爰，乃，于是。本，根据。夙，夙昔，早前。

㉕ 近取诸身，远取诸物：近则根据自身的生理规律，远则吸取各种动物的特长。取诸，取之于。

㉖ 致意实在于象先：所以致身于内意的练习实在应该比外形动作优先。即“意”是第一位的，“象”是第二位的。

㉗ 浅造者：造诣浅的人。

㉘ 万一：万分之一。

㉙ 悟其真意，运彼性灵：领悟该拳的真意，运用练习者自身的灵性。彼，那些人，指那些练习者。

㉚ 是：这。

㉛ 颠不敏：薛颠我是一个不聪明的人。这是自谦的话。

㉜ 亲炙于：亲自受教于。炙，音 zhì，烤，比喻熏陶。

㉝ 几易葛裘：即几易寒暑。葛，葛衣，夏装。裘，裘衣，冬装。

㉞ 但恐斯道自我得之，复自我失之：唯恐这门拳术由我这里得到，又从我这里失传。

㉟ 同好：有相同爱好的人。

㊱ 特草是编，以公世人：特意写了这本书，向世人公开。草，打稿子，亦指稿子，引申为初步的、非正式的，此处是对自己著作的谦辞。

凡例

○ 是编《象形术》为修身而作，发源于仓颉造字、伏羲画卦，取象于数理，立体于卦象，[1]作象形以却病苦。内易外象[2]，形容尽致，是体育入道之法门也。且此术以修养胆力为主脑，以卫国保民为宗旨。

○ 是编标举象形之提纲要领，条目井然，按次习之，是无错谬。

○ 是编首述总纲象形会真原理，自虚无含一炁，无象而至于有象发源说起，将身体立正此谓无极势，再向左，姿势附焉。此章乃五法八象之基础，亦开宗明义之第一声也。

○ 是编由先天无极之势说起，自第一章飞法至第五章旋法十九节，是五法上编；下编标举八象，化生万亿之法身，由震卦第一章"龙象"发起，至坤卦八章"猿象"四十节，是为下编。此书上、下两编，合册贯为全编。其中伸缩进退及生克变化之功，言之綦详[3]。依法练习，莫使紊乱，则象形术之表里虚实无不到，全体大用无不明矣。

○ 是编此术之精意，取法于数象数势而演之。其法身有精微奥妙之玄机，鬼神不测之妙用，学者心能证悟功用，庶几有得，可能明万象纲领，即道云[④]“得其一而万事毕”矣。

〇 是编标明象形之原理及其效用，摹仿各物形象[⑤]，则精神态度之毕肖，法合一气，更觉无穷神奇之功用焉。

〇 是编文字简单，明白如话，练习极易，功效最良，系顺天地自然之道，运用一种至大至刚之气，实为由体育入道不二之法门，但言词力求浅近，以叙明象形之实益，学者幸勿以言之无文[⑥]相讥诮也。

〇 是编象形术之性质及其运气、易筋、洗髓之要法，练习既久，不但四肢躯干可为击人之工具，即口中所出之声及身上所发之电，均能摧敌于数步之外，岂待冲锋肉搏然后有胜败之分欤？换而言之，此乃精神之为用也言以离奇，实习则明。

〇 是编以虚无上人之法，传垂之文而为后世法[⑦]。童子练之，则身体可得充分之发育；老翁习之，可得矍铄之精神。一无努力伤气之害，二无曲体折腰之苦，三无跃高冒险之危，且手舞足蹈，无须乎短服挽袖，虽常服大衣，亦可作运动之姿势，实拳术中最儒雅之事也。古圣之喻言，一旦公之于世，[⑧]学者幸勿以寻常武术视之。

〇 是编有口令之规定及成排成连之教授，不独个人可以练习，即数十人、数百人亦可排成队伍，同时教之。人数愈多，教练愈有兴趣。如各军旅全体练习武术，则人人有盖世拔山之气力，卫身卫国之精神，何愁不能杀敌致果，战胜攻取耶？

〇 是编图解详明，了如指掌，决无望洋兴叹之弊。学者果能手置一册[⑨]，循序渐进，勤学不息，则由浅入深，自可入室升堂，得国术三昧[⑩]，以鸣于当代[⑪]，传之后世焉。但自作聪明，任意改变，则差之毫厘，谬之千里，甚者入迷途，发生疾病者，尤不可不注意焉。学者其按部就班，毋蹈斯种覆辙为要。

○ 是编各势象皆用详细绘图，使学者能按图入手模仿，实力做去，易理久则自明，奇效必得，非纸上谈兵之虚言也。

注释

① 取象于数理，立体于卦象：由数理中取得形象动作，由卦象中建立本体。数理，易学中的数与理；卦象，八卦、六十四卦卦象。

② 内易外象：内在的理论指导是易理，外面则表现出各种形象。

③ 言之綦详：讲得极详细。綦，音 qí，极。

④ 道云：《道经》说的。

⑤ 各物形象：各种动物的形象。

⑥ 言之无文：写得没有文采。

⑦ 是编以……为后世法：这本书将虚无上人的拳法，用图文的形式流传下来让后人学习。传垂之文，即传垂之以文，以文字传垂。传垂，即留下来、传下去。为后世法，被后世的人效法。

⑧ 古圣之喻言，一旦公之于世：上古圣人所讲的东西，现在一下子公之于世。

⑨ 手置一册：每人购置一册。

⑩ 三昧：事物的诀要或精义。

⑪ 鸣于当代：在当世有名声。

象形拳法真诠目录[①]

象形拳法真诠总纲

象形拳法真诠下编（八象合卦）

注释

① 象形拳法真诠目录：原书目录层级不明，有与正文不符的情况，此处都根据正文内容纠正、补全、理顺。同类情况不再单独注释。

象形拳法真诠总纲

绪 言

自伏羲画卦，阐明阴阳，远取诸物，近取诸身，始作八卦，象生其中[①]。嗣命阴康作大舞戏[②]，舒展肢体，循环气血，以愈民疾[③]；黄帝作内经[④]，採按摩导引[⑤]诸法，以却病苦；老子讲性命学，成道教鼻祖；释氏[⑥]谈慧命旨，成西方之佛；孔子论天命之性[⑦]，而易行乎中[⑧]；庄子吐故纳新，合于呼吸，熊经鸟伸，以求难老[⑨]，汉华佗氏因而推广作五禽戏虎鹿熊猿鸟运动，锻炼身心，以强精神——此皆古圣发明体育之由来也。今之讲体育者，不能参赞[⑩]古圣之旨，言术不言理，言势不言意，[⑪]视击技为无用，不以作锻炼身心之大道，已失体育之原理矣。且人生日食五谷，又有七情六欲之薰心[⑫]，荣卫[⑬]失宜，六气所中[⑭]，气血凝聚而成疾，青年人往往而夭寿，良可痛惜也。此书是编，释明古圣真意，作象形术以倡其道。使人四体百骸运动而象其形，效其灵性，悟其真意，通其造化，[⑮]以除疾病。是故延寿莫大乎法象[⑯]，变通莫神乎心意[⑰]。象以道全，命以术延。道则为体，术则为用，[⑱]性命双修之法门，尽在于斯。学者至诚不息，而深思默悟，得之于身心，用之则行，舍之则藏，则终身用之不尽也。

法　曰

伏羲画卦首明阴阳　　取之身物[19]卦象昭彰

阴康大舞民体健康　　黄帝内经却病良方

道家吐纳禅定坐忘　　孔言天命语极精详

汉氏华佗象理[20]阐扬　　五禽游戏俾人[21]健强

象形取义道启康庄　　命以术延道以人昌

勿忘勿助[22]至大至刚　　精修性命云胡不臧[23]

注释

① 象生其中：象生于其中，即各种形象从八卦里生出来。

② 嗣命阴康作大舞戏：嗣后，命令阴康创制大舞戏。嗣，嗣后，后来。阴康，远古时的一位古帝，约在炎帝、神农氏之后。《吕氏春秋·古乐》：“昔阴康氏之始，阴多滞伏而湛积。水道壅塞，不行其原。民气郁阏（è）而滞著，筋骨瑟缩不达，故作为舞以宣导之。”

③ 以愈民疾：来治愈人民的疾病。

④ 内经：即《黄帝内经》，现分为《素问》《灵枢》两书，是我国现存较早的重要医学文献。

⑤ 按摩导引：中国古代一种强身除病的养生方法，包括肢体运动、呼吸运动和自我按摩，相当于现在的气功和体育疗法。导引，即导气、引体。

⑥ 释氏：释迦牟尼。

⑦ 孔子论天命之性：孔子讲天所赋予的人性。按《中庸》：“天命之谓性，率性之谓道，修道之谓教。”则其中“率性”“修道”均包括体育的内容。

⑧ 易行乎中：易理贯穿在其中。

⑨ 难老：犹长寿。

⑩ 参赞：参与佐助。

⑪ 言术不言理，言势不言意：讲方法不讲原理，讲外形不讲内意。

⑫ 薰心：扰乱内心。

⑬ 荣卫：中医学名词，指荣气与卫气。荣气行于脉中，属阴；卫气行于脉外，属阳。荣卫二气散布全身，运行不息，对人体起滋养和保护作用。

⑭ 六气所中：被六气所击中。六气，中医学名词，指自然界中风、寒、暑、湿、燥、火六种气候。

⑮ 象其形……通其造化：模仿它的姿势动作，效法它的灵性，领悟它的真意，会通它的造化天赋。

⑯ 法象：外在的姿势、动作、形象。

⑰ 心意：内心的思想意识。

⑱ 象以道全……术则为用：外形由于道而完美，练习者的寿命因为术而延长，道是本体，术是道的运用。

⑲ 取之身物：取之于自身和各种动物。即“近取诸身，远取诸物”。

⑳ 象理：各种动作形象及其原理。

㉑ 俾人：使人。

㉒ 勿忘勿助：既不要忘了它，也不要强行去助长它。《孟子·公孙丑上》：“必有事焉，而勿证；心勿忘，勿助长也，无若宋人然。”

㉓ 云胡不臧：有什么不好呢？云，语助词。胡，何，怎么。臧，音zāng，善。

第一章

第一节　武艺道艺分论

盖夫武术一途，分内、外两家，有武艺、道艺之称。练武艺者，注意于姿势，而重劲力①；习道艺者，注于②养气而存神，以意动，以神发也。兹分述如下：

（甲）练武艺是双重之姿势也。两足用力重心在于两腿之间，全身用力。用后天之意，一呼一吸，积养气于丹田之内，而吸收其有益之成分，久之则身体坚如铁石，站立姿势稳如泰山。一旦与人相较，起如钢锉，落如钩竿；起似伏龙登天，落如霹雷击地；起无象，落无踪，起意好似卷地风。束身而起，长身而落，起如箭，落如风，追风赶日不放松。拳经云："足击七分手打三，五营四梢要合全；气连心意随时用，硬打硬进无遮拦"，此谓之浊源，所以为敌将之武艺，固灵根而动心③是也。若练到登峰造极至善处，亦可以战胜攻取，无敌于天下也。

（乙）练道艺者，是单重之姿势也。一足用力，前虚后实，重心在于后足，前足可虚亦可实。心中不用力，先要虚其心、实其腹，使意思与丹道相合，进退灵通，毫无阻滞。进则如弩箭在弦，发出直前[4]而行；退则如飞鸟归巢，飘然而返。勇往迅速，绝无反顾[5]迟疑之状态。且练习之时，心中空空洞洞，无念无想。其姿势虽千变万化，然不勉而中，不思而得，所谓从容中道[6]者是也。偈[7]曰：“拳无拳，意无意，无意之中是真意。心无心，心空也；身无身，身空也。”释迦所谓：“空而不空，不空而空，是谓真空。”其殆[8]道艺之学不二法门欤！盖静者动之基，空者实之本，心中空虚则灵不昧，[9]有大智慧、大明悟发生。如有人来击，心中并非有意防范，然随彼意而应之，自然有坚决之抗力。静为本体，动则为用，[10]正是此意也。盖拳发三节无有象，如有象影不为能。随时而发，一言，一默，一举，一动，行止，坐卧，以致饮食之间，皆是用，所以无入而不自得，无往而不得其道，以致寂然不动，感而遂通，无可无不可，此是养灵根而静心[11]者之所用也。

注释

① 重劲力：着重于练劲力。

② 注于：当为“注意于”。

③ 固灵根而动心：固住丹田之气而动杀敌之心。

④ 直前：一直向前。

⑤ 反顾：回头看，犹豫迟疑的意思。

⑥ 从容中道：从从容容而符合道。

⑦ 偈：佛经中的唱词。

⑧ 殆：大概，恐怕。

⑨ 盖静者……则灵不昧：静是动的前提，空是实的本源，心中空虚则灵性不蒙昧。

⑩ 静为本体，动则为用：敌不来攻，则我为静；敌来攻我，则我随之而动，恰到好处。我的内在精神意气及外形动作毫不浪费，高度节约。没有前面高质量的身空心静，就没有后面高效率的因应动作。

⑪ 养灵根而静心：存养丹田之气而保持心静身空。

第二节　初学规矩

练拳术，应循规蹈矩，不可固执己见，致有偏枯之弊。若专从力之方面发展，则为力所拘；专从气之方面发展，则为气所蔽；专求沉重，则为沉重所捆；专求轻浮，则为轻浮所散。总之气血并重，性命双修[①]，循序渐进，自强不息，久之则神意归于丹田，灵炁贯于脑海，其身体自然能轻、能重，轻则身轻体健，行走如飞；重则屹立如山，确乎不拔。盖练神还虚，则身轻如羽，气贯涌泉，则重如泰山也。

注 释

① 性命双修："性"指的是心神，"命"指的是精气。性命双修，也就是炼气炼神。

第三节　初学三害

练武术，有当注意之三害。三害不明，练之足以伤身。学者能力避三害，非特[①]体魄强健，而且力量增加，勇毅果敢，并能神清气爽，明心见性，直入道义之门。三害者为何？一曰拙力，二曰努气，三曰挺胸提腹。拙力者，用力太笨，气血凝滞，以致血脉不能流通，筋骨不能舒畅，甚至四肢拘急，手足不能灵活，浸假[2]而虚火上炎，拙气滞满胸臆及肢体凝滞之处，或细胞爆烈[3]，变成死肌，或结为症瘕[4]，贻害终身，不可不慎。努气者，力小任重[5]，或用力太过，以致气满胸膈，壅滞不通，其气管往往有爆烈之虑，甚至气逆肺炸或不治之痼疾者，亦数见不鲜。挺胸提腹者，气逆上行，不能降至丹田，两足似浮萍之无根，重心不定，身体摇动不安，譬如君心[6]不和，百官[7]失其位，拳术万不能从容中道。练习时，务要将气降至丹田，以直达于涌泉，然后身体屹立如山，虽有雷霆万钧之击，不能撼动其毫厘。学者果能明三害，力为[8]矫正，用九要八论之规矩，勤加锻炼，循序渐进，以至升堂入室而得拳法三昧，是为入道，学者其各注意焉[9]。

注释

① 非特：不只，不但。

② 浸假：渐渐，逐渐。

③ 爆烈：猛烈爆炸。后同，不另注。

④ 症瘕：即癥瘕，中医学名词，指腹内结块。

⑤ 力小任重：力量小而负担重。

⑥ 君心：就是心，心为君，所以把心叫作“君心”。

⑦ 百官：各种器官。

⑧ 力为：尽力。

⑨ 学者其各注意焉：学此拳的人都要注意了。其，助词，表祈使语气。

第四节　桩法慢练入道

观夫世之进化，每种事业，无不先立基础而后进展。基础固，则进步速。拳术之道，尤[①]宜先立基础。故初学，以桩法为始，一曰降龙桩，二曰伏虎桩。练此桩法，先要虚其心，涵养本源，以呼吸之气下贯丹田，而充实其腹，慢慢以神意运动，舒展肢体，使气血循环周身，流通百脉，脏腑清虚，筋络舒畅，骨健髓满，精炁充足，而神经敏锐，故谓之养基立本，此桩法慢练增力之妙法也。谚云："本固枝荣[②]"；儒谓"本立而道生[③]"。以后无论操演何种拳势，精意莫不本此[④]。虽起初不得妙境，久而久之，心领悟会，不难妙极神明。否则，不依规矩，操之过急，四肢必生挫折之苦，虽费神劳力而不得佳果。桩法慢性之锻炼，系顺天命之性[⑤]，合乎自然之道，一动发于性，一静存于命。偈曰："静为本体，动则作用"，正是会意形象[⑥]之法门，而道蕴藏其中[⑦]矣。急练求之者，难得其中实益[⑧]也。

注　释

① 尤：尤其，更。

② 本固枝荣：本固则枝荣，根本牢固则枝叶荣茂。

③ 本立而道生：根本建立则道生出来。《论语·学而》："君子务本，本立而道生。"

④ 本此：本于此，以此为根本。

⑤ 系顺天命之性：是遵循天所赋予的本性。

⑥ 会意形象：领会其意，模仿其形。

⑦ 蕴藏其中：蕴藏于其中，蕴藏在里面。

⑧ 实益：实实在在的好处。

第五节　三层道理

（一）练精化气；（二）练炁化神；（三）练神还虚练之以变化人之气质，复其本然之真也。

第六节　三步工夫

（一）易骨。练之以固其基，以壮其体。虽老年人，可减少其石灰质，而增加其弹力性。肢体骨骼，坚如金石[①]，重如山岳。有时意轻，轻如鸿毛；意重，而似泰山。

（二）易筋。练之以腾其瘼[②]，以长[③]其筋，俾[④]伸缩力，逐日增加，有拔山盖世[⑤]之气，奋发有为，雄飞于世界。虽血亏气弱之病夫，一变而为铜筋铁骨之壮士，岂非易筋云乎哉?

（三）洗髓。练之以减其重量，增其弹力，[⑥]轻松其内部，活泼其运动，俾骨中清虚灵活，而身轻如羽，体健似金刚矣。

注释

① 金石：铁石。金，金属。

② 瘼：原文“瘼”字误，此处当作“膜”。

③ 长：加长。

④ 俾：使。

⑤ 拔山盖世：力能拔山，气能盖世。项羽“垓下歌”：“力拔山兮气盖世。”

⑥ 减其重量，增其弹力：减轻体重，增加盘的弹力。

第七节　三种练法

（一）明劲。练之有一定之规矩，身体动转要和顺[①]，而不可乖戾[②]；手足起落要齐整[③]，而不可散乱。“方者正其中[④]”，即此意之谓也。

（二）暗劲。练之以充实其丹田[⑤]，使肢体坚如金石。但神气[⑥]要舒展而不可拘，运动要圆通活泼而不可滞。“圆者应其外[⑦]”，正是此意也。

（三）化劲。练时周身四肢动转，进退起落不可着力[⑧]，专以神意运用之[⑨]，惟形象规矩，仍是前两种，不可改移，但顺其自然之程序，勿忘勿助，一气贯通而已。“三回九转是一势[⑩]”，即此意也。

注释

① 和顺：和谐顺道。

② 乖戾：不合，不和。

③ 手足起落要齐整：身、手、足要同步起落，整齐划一。

④ 方者正其中：方正是为了整饬自身，形成六合整劲。

⑤ 充实其丹田：以腹式呼吸为主，使丹田充实而有弹力。

⑥ 神气：精神与呼吸。

⑦ 圆者应其外：圆通是为了应对外来的欺侮。

⑧ 不可着力：不可刻意用力。

⑨ 专以神意运用之：以精神、意识的练习为主。

⑩ 三回九转是一势：人身三大节、九小节的回环、旋转可以组合成无数种拳势，但整体看，都不过是起、随、催，完整一气的一个整劲而已。

第二章　九 要

第一节　三　弓[1]

脊背相弓[2]督脉上升，两肱相弓出势速猛，两股相弓进退灵通，故谓之三弓。

第二节　三　垂[3]

肩要下垂气力贯肘，肘要下垂力气至手，气要下垂丹田养守，故谓三垂。

第三节　三　扣[4]

膀扣开胸精气上升，阴气下降任脉通行，手足指扣周身力雄，故谓三扣。

第四节　三　圆

脊背形圆精炁催身，身形势圆旋转通神，虎口开圆刚柔齐伸，故谓三圆。

第五节　三　顶[5]

头上有顶冲天之雄，手上有顶推山之功，舌上有顶吼狮威容，故谓三顶。

第六节　三　摆[6]

两肘要摆摆肘保胸，身形宜摆摆身形空，膝摆步拗旋转灵通，故谓三摆。

第七节　三　挺[7]

挺颈贯顶精气上通，势若挺腰气贯四梢，一身抖挺力达九霄，故谓三挺。

第八节　三 抱[8]

胆量抱身临事不乱，丹田抱气气不外散，两肱抱肋出入不繁，故谓三抱。

第九节　起蹚落翻要义

起要势蹚，落要势翻；起要势横，落要势顺；[9]起为横之始，蹚为横之终，落为顺之始，翻为顺之终，起蹚落翻，四字理分清。

注 释

① 三弓：即“三弯”或“三曲”，指脊背微弯、两臂微弯、两腿微弯。

② 相弓：即弓，弯曲。相，助词，无义。

③ 三垂：即沉肩、垂肘、气沉丹田。

④ 三扣：即肩膀向前扣合、手指扣、脚趾抓地。

⑤ 三顶：即头向上顶劲、手向前顶劲、舌顶上腭。

⑥ 三摆：即肘与小臂向里拧摆，掩肘护胸；身形侧向拧摆成斜身势，使来力落空；顺步时后膝向里摆扣、脚跟向外扭劲、脚前掌向里扭劲；拗步时前膝向外摆，后膝向里摆，形成拗步“剪子股”势。

⑦ 三挺：即挺颈、挺腰、挺身。挺颈即竖颈。腰要挺而不提。身要挺拔。

⑧ 三抱：胆量抱身即沉着冷静、临危不惧，这是心理上的要求。丹田抱气，即保持虚实腹，以腹式呼吸为主，不可急促浮浅，这是呼吸、供氧上的要求。两肱抱肋，即沉肩垂肘，两肘夹肋，保护内五行，这是动作、姿势上的要求。

⑨ 起要势蹿……落要势顺：每一个完整的拳势，都分为起、落二势。起是启动与接手，落是结束与打击。起势要钻身，重心微高；落势要翻身，重心下降。起势要相对于对方横着起，二人交手形成相交线；落势要顺着落，自身从后脚到前手形成一个竖劲，二人之手形成平行线。蹿，向上或向前冲。翻，反转。

第三章　八 论

第一节　论 身

前俯后仰，左侧右斜，[①]正而似斜，斜而似正，[②]阴即是阳，阳即是阴。[③]

第二节　论 肩

精气贯顶，肩要下垂，[④]两肘齐心，手势相随，身力至手，肩肘所催。[⑤]

第三节　论 肱

左肱前伸，右肱揹[⑥]肋，似曲不曲，似直不直，曲相弓形，出用返方。[⑦]

第四节　论 手

右手在肋，左手齐心，两手阴阳，用力前伸，[8]手随身动，势出宜迅。

第五节　论 指

五指各分，形相似钩，虎口圆开，有刚有柔，力要至指，须从意求。[9]

第六节　论 股

左股在前，右股后撑，似直不直，似弓不弓，进则用力，股如返弓。[10]

第七节　论 足

左足直出，右足斜横，步法莫紊，前踵对胫，两足旋转，足指扣定。[11]

第八节 论谷

谷道提起，气通四梢，[12]两腿转动，臀部肉交，势随身变，速巧灵妙。

法曰

九要八论理要明　生克变化有神通

学者悟通玄中妙　心意象形任性行

注释

① 前俯后仰，左侧右斜：这是说要避免的病态身法。

② 正而似斜，斜而似正：身、手、足的劲和目标正对前方为“正”，半面向前、半面向侧的半阴半阳身及半阴半阳手为“斜”，二者和谐统一于一身就是“正面似斜，斜而似正”。

③ 阴即是阳，阳即是阴：伸出的部分是阳，缩回的部分是阴；刚强支撑的部分为阳，柔软顺随的部分为阴，二者统一于一身。阳的背面就是阴，阴的那头就是阳，阴、阳不可分，没有独立的阴或阳，所以说“阴即是阳，阳即是阴”。

④ 精气贯顶，肩要下垂：竖项顶头则精气贯顶，扣肩垂肩则气沉丹田，二者相对，是一种大势形象。

⑤ 身力至手，肩肘所催：身力能传到手上，是靠腰催肩、肩催肘、肘催手而实现的。

⑥ 搰：音 hú，发掘，挖出。这里是夹紧的意思。

⑦ 曲相弓形，出用返方：两臂保持弯曲的形象，出手和回手都是如此。

⑧ 两手阴阳，用力前伸：两手半阴半阳，前手要有向前的顶劲。

⑨ 力要至指，须从意求：手要用意撑顶，力贯指捎，但不可用拙力。

⑩ 左股在前……腿如返弓：左腿在前虚撑，右腿在后实撑，两腿形成“人”字形结构。前腿直而微弯，后腿曲而拉直。进步时，前腿极力往前迈，后腿极力蹬地，就像弯曲的弓反弹一样。

⑪ 左足直出……足指扣定：前左脚顺着进步的方向迈出，右脚与正前方夹角 45 度外横，前脚跟正对后腿里胫骨，这种步法结构不可紊乱。两脚无论进退旋转，都要注意脚趾抓地。

⑫ 谷道提起，气通四梢：提肛包臀，则能气通四梢。

第四章　四 梢

第一节　筋 梢

爪为筋梢，手足指功，手抓足踏，气力兼并，爪之所至，立[1]生奇功。

第二节　骨 梢

齿为骨梢，有用[2]在骨，切齿则发[3]，威猛如虎，牙之功用，令人胆觫[4]。

第三节　血 梢

发为血梢，怒发冲冠，血轮若转，精神勇敢，虽微毛发，力能撼山。

第四节　肉梢

舌为肉梢，卷则降气，[5]目张发竖，丹田壮力，肌肉像铁，脏腑充实。

法曰

四梢之威理要研　精神勇敢力摧山

若明四字玄中妙　神意光芒气绵绵

注释

① 立：立刻。

② 用：原文“用”字误，应为“勇”。

③ 发：发拳。

④ 胆觫：胆丧。觫，即觳觫，音 hú sù，恐惧颤抖貌。

⑤ 舌为肉梢，卷则降气：舌顶上腭，以舌催齿，口不干燥，气降丹田。

第五章

第一节　六　合[①]

六合有内外之分。内三合：心与意合，意与气合，气与力合；外三合：手与足合，肩与胯合，肘与膝合。又曰[②]，筋与骨合，皮与肉合，肾与肺合，头与手合，手与身合，身与足合，又谓之内外三合。总而言之，合则谓全身法相[③]，即是神合，意合，精炁合，光线芒芒，神光四射，[④]一气贯通[⑤]，而谓之真合矣。

法曰

心要虚空精神要坚　意要安怡气要混元

神光耀射光线绵绵　全体法相无处不然

注释

① 合：协同、整齐为合。

② 又曰：又一种说法是。

③ 法相：整体形象，本质形象。

④ 光线芒芒，神光四射：眼神威严，放射出虎豹一样的慑人光芒。

按：这就是王芗斋先生说的“神犹雾豹”。

⑤ 一气贯通：全体上下内外一气贯通。

第二节　八忌歌诀

1. 出拳高举两肋空
2. 绝力使来少虚空
3. 力猛变迟伤折快
4. 臂肱直伸无返弓
5. 身无桩法如竿立
6. 相击易跌一身空
7. 怒腾气升血冲脑
8. 心智变动不机惊[①]

注 释

① 惊：原文“惊”字误，当作“警”字。

第三节　八　性

八性者，即抓、扑、抖、掀、截、挂、舒、绵是也。抓者，如饥鹰之抓物；扑者，似狸猫之向前之扑鼠也；抖者，一身之力如猛兽之抖毛；掀者，即托起，平托、高托、左右相托也；截者，是揬住[1]不让敌人手足发出也；挂者，乃是挂住敌人手足不能退回，或左挂，右挂，使一身不得中和之力也；舒者，伸开，於[2]鸟之抖翎展翘，抖搜擞法也；绵者，柔也，柔中有刚，如沾绵联络，相随之意也。

注 释

① 揬住：顶住、堵住。揬，音tú，触。

② 於：当为“如”字。

第四节 论 步

（甲）寸步[1]。在前之足不退，向前进步。后足蹬力，催前足又谓之垫步。此着之用，为敌所逼，无暇换步，方取此捷径，以制敌所不备，以其全用寸力，故曰寸步，路线图如左[2]（图1）。

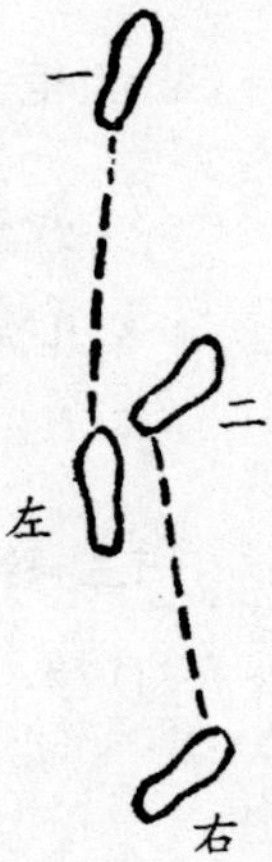

图1

（乙）蹿步[3]。前足先进，后足一直向前大进。即进之足[4]复为[5]后跟，以其步法连环，故曰蹿步。路线图如左（图2）。

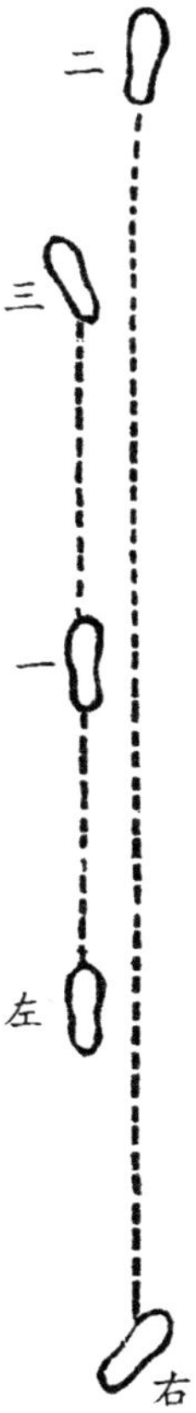

图 2

（丙）弓箭步[6]。两足斜丁势，前足着地，足心悬起，五指抓地，腿似半圆形势。后足尖着地，足根[7]欠起，膝盖下跪，腿似曲弓[8]，即返弓[9]，因其两腿似弓，其要点全用后足尖往前放力催身。此步用途最广，消息全凭后足蹬，故曰弓箭步，路线图如左（图 3）。

图 3

圆圈印[10]足尖着地之足，左右进步换势，皆依此类推。

（丁）三角步。进退皆以三角势，或左右，或进步，抽撤无方，行踪无定，以其进退曲斜，故曰三角步，路线图如左（图 4）。

图 4　三角步图

进退无定，行踪飘忽，皆依三角路线图推演（图 5）。

图 5

（戊）八字步[11]。左足在前，右足在后之姿势，向右转为顺步势，回身先以左足向右足外合劲扣步，扣成八字形势。路线图如左(图 6)。

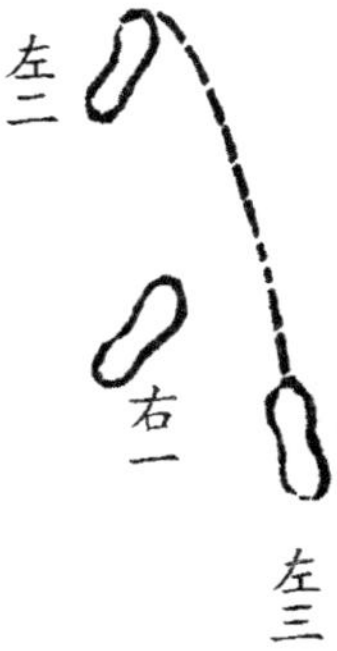

图 6

此右一左二之足势，如向左转为进步回身，将右足进步，向左足外，往里合劲扣步，与左足成八

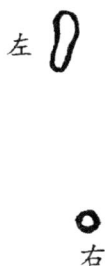

字形势，路线图如下（图7）。

图7　进步路线

以上两节皆是左足前、右足后之换势，如右足前、左足后换势，亦依前两节类推，故谓之八字步。八字之妙用，转势换身，最灵巧之步法也，学者默悟，生化无穷。

（己）踪[12]跳步。两足之动作，或高，或远，平行而飞，或二三尺、数十尺不等。踪跳步最难练习，非功夫纯熟，身轻如猿，象[13]似飞鸟，不能得其要素。学者得其真意，须以猿象中，恒心而研究焉。

注释

① 寸步：相当于半步崩拳的步法。

② 图如左：原书示意图在文字左边，而简体版为了方便读者，重新编排图号和图位。文字仍遵照原文，后不另注。

③ 蹿步：相当于剪拳、钻拳的步法。因后腿追上再超过前腿，如剪刀剪物，故名“蹿步”。

④ 即进之足：已经垫前的脚。“即”当作“既”，完成，已经。

⑤ 复为：再。

⑥ 弓箭步：类似于“鹰熊合演落势”的步型。

⑦ 根：古同“跟”。后同，不另注。

⑧ 曲弓：弯曲的弓。

⑨ 返弓：能反弹的弓。

⑩ 印：印合，对应。

⑪ 八字步：从练者说是倒“八”字，从观者看是正“八”字。

⑫ 踪：原文“踪”字误，当为“纵”。后同。

⑬ 象：形象。

第六章

第一节 阴 阳

阴阳，动静，刚柔，虚实，一阴，一阳，一动，一静，动而生阳，静而生阴。[①]动之始则阳生，动之极则阴生；静之始则柔生，静之极则刚生。[②]动而生阴阳，静而生刚柔。虚实，则阴阳动静之机；[③]刚柔，则一动一静之理。[④]一阴一阳之谓道，生生之谓易，成象之谓乾，效法之谓坤，通变之谓化，阴阳不测之谓神。[⑤]刚柔相推，而生变化。[⑥]阴阳相摩，八卦相荡，[⑦]而易行其中[⑧]。以象形之理而言[⑨]：动则为意，静则为性，妙用为神。[⑩]动静：动而未发谓之机，发而中节之谓和。[⑪]中者，阴阳之大本也；和者，天地之大道也。致其中和，则天地位焉，万物育焉，心意象形之理而成乎其中矣。

注 释

① 动而生阳，静而生阴：运动产生阳气，静止产生阴气。宋代周敦颐《太

极图说》："太极动而生阳，动极而静，静而生阴，静极复动。"

② 动之始……极则刚生：动的东西产生天，静的东西产生地。动则产生昼夜四季等阴阳现象，昼为阳，夜为阴；春夏为阳，秋冬为阴；动的开始产生阳，动到极点产生阴，静则产生水火土石等刚性物质和柔性物质，水土为柔，石火为刚。宋代邵雍《观物篇》："天生于动者也，地生于静者也，一动一静交，而天地之道尽之矣。动之始则阳生焉，动之极则阴生焉，一阴一阳交，而天之用尽之矣。静之始则柔生焉，静之极则刚生焉，一柔一刚交，而地之用尽之矣。"

③ 虚实，则阴阳动静之机：虚实，是动生阴阳与静生刚柔的先兆。

④ 刚柔，则一动一静之理：刚性物质和柔性物质，是在太极由动到初静、再到极静的过程中产生的。

⑤ 一阴一阳之谓道……阴阳不测之谓神：一阴一阳的对立转化叫作道，生生不停叫作变易，形成各种天象的叫作乾，仿效地法的叫作坤，精通事物的变化而行动的叫作事，阴阳变化不可预测的叫作神。

按：这是《周易·系辞上》中的话，通变之谓化，应为"通变之谓事"。

⑥ 刚柔相推，而生变化：在八卦和六十四卦中，阳爻为刚，阴爻为柔，由刚柔的推演而产生变化。《周易·系辞上》："圣人设卦观象，系辞焉而明吉凶。刚柔相推而生变化。"

⑦ 阴阳相摩，八卦相荡：阴阳互相摩擦，八卦（天地雷风水火山泽）互相激荡。《周易·系辞上》："刚柔相摩，八卦相荡。"

⑧ 而易行其中：而易道就运行在它的中间了。《周易·系辞上》："天地诸位，而易行乎其中矣。"

⑨ 以象形之理而言：以象形拳法的道理来说。

⑩ 动则为意……妙用为神：动时就是意，静时就是性，产生妙用时就是神。清代柳华阳《金仙证论·炼己直论第三》："盖己者，即本来之虚灵。动则为意，静则为性，妙用则为神也。"

⑪ 动而未发谓之机，发而中节之谓和：将动而未动，将发而未发，处于由静到动的临界点上的身心状态叫作“机”；已发而恰到好处、无过无不及叫作“和”。《中庸》：“喜怒哀乐之未发，谓之中；发而皆中节，谓之和。中也者，天下之大本也；和也者，天下之正道也。致中和，天地位焉，万物育焉。”

第二节　丹田充实法

《论语·乡党篇》言：“孔子屏气似不息者”；《老子》谓：“虚其心实其腹”；《庄子》云：“至人之息以踵”；《孟子》曰：“善养吾浩然之气”。此四子者，不但得武术[1]之三昧[2]及养生之秘诀，并且存心养性，守中抱一，得列圣相传之道统[3]，后人谈文治武功[4]者，莫不奉为师表，吾侪[5]之欲研究国术者，岂可不尊为神明，以为却病延年、卫国保民之基础耶？今之谈武术者，莫不以练精化炁、练炁化神，及洗髓、易筋等语，逢人说项[6]，成了一种口头禅，及问其具体练法及习学之步趋[7]，则箍口结舌，茫然不知所答。兹将方法、步骤及效果，述之于左，以供献于社会焉。

（一）丹田俗名小腹，即道家所谓安炉立鼎之处，在人一身之中，即力学上所谓重心者是也。欲使元气充足，变成金刚之体，每日或每夜，择空气清新之处，静立或静坐，皆可练习。注意适当之姿势即合法规之势，先用略粗之呼吸，以开通气道，以意力送至丹田，待到腹中气满，然后呼出此谓后天呼吸法。如此数至十次，或二十次，即舌搭天桥[8]，换为细呼吸，数至五十次或一百次，迨至无思无虑，五蕴皆空[9]，然后顺气息之自然，勿庸[10]暗数矣。

（二）练气百日，必丹田膨胀如鼓，坚硬如石，宜再注意尾闾、夹脊，以上达于玉枕及玄关，一气灌活，周而复始，上至泥丸，下至涌泉，[11]气息绵绵，听之无声，视之不见，所谓“至人之息以踵[12]”者是也。

（三）每日练习不稍间断，不但坎离相交心肾相交，有不可思议之乐趣，而丹田充实，元气既足，则电力即一身之法相增加，磁气即全身精炁光线发动，能击人于数步之外，有鬼神不测之妙用，知此玄理可以入道矣。

注释

① 式术：方式方法。

② 三昧：诀要或精义。

③ 道统：传道的系统。

④ 文治武功：治理国家和用兵打仗的成绩和功劳。

⑤ 吾侪：我辈。侪，音 chái，辈。

⑥ 逢人说项：到处为人说好话，这里指到处对人炫耀、吹嘘。

⑦ 步趋：步骤。

⑧ 舌搭天桥：舌顶上腭。

⑨ 五蕴皆空：在自己的意识里，五蕴都没有了。五蕴，佛教名词，指色蕴、受蕴、想蕴、行蕴、识蕴，总之是指一切物质世界和精神世界的总和。

⑩ 勿庸：不用。

⑪ 宜再注意尾闾……下至涌泉：尾闾、夹脊、王枕、玄关、泥丸、涌泉都是穴位名。

⑫ 至人之息以踵：至人以脚跟呼吸。踵，脚跟。《庄子·大宗师》：“真人之息以踵，众人之息以喉。”

第三节　锻炼筋骨

欲求身体之健康，首要锻炼筋骨。骨者，生于精炁，而与筋连。筋之伸缩，则增力；骨之重者，则髓满髓是人之精也。筋之伸缩，骨之灵活，全系锻炼。头为五阳之首，尾闾为督脉之门，头宜上顶，尾闾中正，则精炁透三关入泥丸脑海。背胸指背筋、胸筋言圆开，气自沉下归丹田小腹。两肱抱撑①，肩窝吐气，开合伸缩，力达指心指：手指；心：是指手心，属筋。象其形：龙蹲，目之精，爪之威；虎坐，摇首怒目，胯坐，挺膝腰。腰似车轮转，身有平准线。两足心含虚，抓地如钻钻。②两股形似弓③，进退要连环，骨灵河车④转如机器之轮轴也，筋络伸缩如弓弦⑤。身劲动发若弦满，手出如放箭。运动如抽丝，两手如撕绵。⑥手足手足四腕力也挺劲力，扣齿骨自坚齿属骨。形其意：摇首搅尾闾，动如飞龙升天，蹲⑦似猛虎出林，踪⑧跳灵空象猿猴，步法轻妙如猫行，得此要素，神乎技矣！

注释

① 抱撑：既有抱劲，又有撑劲。

② 两足心含虚，抓地如钻钻：两脚心悬空，脚趾抓地就像用钻子往地里钻一样。

③ 两股形似弓：两腿弯曲如弓。

④ 河车：内丹学术语，指“真一之气”的运行。因为两肾一左一右，好像日月周转，又好像两个轮子的配合运动，所以有“河车”之名。

⑤ 筋络伸缩如弓弦：肌腱、韧带伸缩像弓弦。

⑥ 运动如抽丝，两手如撕绵：两手运动就像从蚕茧里往出抽丝一样；两手一出一回要有对拉劲，如撕丝绵。

⑦ 蹚：蹚步。

⑧ 踪：原文“踪”误，当为“纵”。

第四节　三性合一

夫三性者，以心为勇性，以目为见性，以耳为灵性，此三性为艺中应用之根本也。然运用之法，心应不时常警醒，目应不时常循环，使之精灵三性，象影相合[①]，运贯如一，蕴发在意[②]。其大无外，其小无内，放之则弥六合，卷之则退藏于密，[③]其味无穷，正是三性之要义也。

注释

① 象影相合：形影相合。

② 蕴发在意：收敛和发散由意指挥。

③ 放之则弥六合，卷之则退藏于密：（精灵之意）放开则充满天地之间，卷起来则退藏在我心里。

第七章　六 意[1]

第一、二节　会意、象形

象形[1]者，会意[3]也，发于外而谓之象，蕴于内而谓之意[4]。意可蕴，亦可发。意由心出，象由性生。《中庸》云：“诚于中，形于外”[5]，正是意象之谓也。以人之四体百骸运动而象其形，悟其真意，效其灵性，通其造化，[6]而以术延寿，以健身心，如华佗之五禽是也。

注释

① 六意：即“六义”，也叫“六书”。本来是古人分析汉字的造字方法而归纳出来的六种条例，即象形、指事、会意、形声、转注、假借。这里借用来分析讲解象形拳法的精髓。

② 象形：模拟动物的姿势、动作。

③ 会意：领会动物的意识。

④ 发于外而谓之象，蕴于内而谓之意：表现在外面的叫作象，蕴藏在心里的叫作意。

⑤ 诚于中，形于外：诚于中者为意，形于外者为象。

⑥ 象其形……通其造化：模拟它（指动物）的形象，领悟它的真意，仿效它的灵性，理解它的天赋特长。

第三节 假 借

假借者，是乘敌人之来势也[①]。运吾之机谋，忽纵而忽横，纵横因势而变迁；忽高而忽低，高低随法法者，天也，流行之气也以转移。尾闾中正神光[②]耀精炁，电力四射也，炁透三关入顶门。腰像车轮，身有中线。全身法象[③]，如百炼钝钢绕指柔，似万缕柔丝缠绕，绵绵不断。彼刚我柔，彼柔我刚，任他巨力雄伟汉，一指运动分[④]千斤，此假借命名之义也。

注 释

① 假借者，是乘敌人之来势也：假借，就是借敌人的来势为我所用，因敌制胜。

② 神光：即目中的神光。

③ 全身法象：全身整体的理想形象。

④ 分：拨动。

第四节　转 注[①]

转注者，旋转圆动力而中心不失[②]也。圆中[③]纵横似弹丸，光线芒芒，无分左右前后[④]。即《中庸》云："中立而不倚，和而不流"，正是此义。无论如何旋转，不失中心，取义指南[⑤]，命名"转注"也。

注 释

① 转注：本来是指用形或音或义相近或相同的一个字转而注解另一个字，这里是指用指南针的原理转而分析讲解拳术原理。

② 中心不失：中轴的位置或方向不变。

③ 圆中：圆的中心。

按：这是俯视时的情况。

④ 无分左右前后：不必分左右前后。

按：向左转身则左为前，向后转身则后为前，所以说："无分左右前后。"

⑤ 取义指南：取义于指南针。

按：无论罗盘如何转动，指针方向永远不变。

第五节　指 事

指事者，如阵法，似长蛇，击首则尾应，击尾则首应，击中则首尾相应。忽上像飞龙升天，忽下似潜龙在渊，忽前后，忽左右，忽高低，像云龙[①]之探爪。气若龙飞万里[②]，像犹虎贲三千[③]。如战阵行军，声东击西，故而谓之指事也。

注 释

① 云龙：云中之龙。

② 气若龙飞万里：气壮就像龙一口气能飞万里。

③ 像犹虎贲三千：其形象就像三千虎贲军。犹，犹如。虎贲，勇士之称。《尚书·牧誓序》："武王车三百两（辆），虎贲三百人。"孔颖达疏："若虎之贲（奔）走逐兽，言其猛也。"

第六节 谐 声[①]

谐声者，发号使令也，如龙吟虎虓睡狮吼。神气能逼人，精气能摧[②]人，威猛能惊人。两目神光耀，使人一见而生畏。形之于战斗力，斜入而直出，直进而横击，刚来而缠绕，柔去而惊抖，丹田含炁，神意贯指，按实用力，吐气发声，故取义谐声也。[③]

注 释

① 谐声：这一节讲武术技击中的发声。

② 摧：同"催"，后不另注。

③ 形之于战斗力……取义谐声也：将谐声体现在战斗力上，无论是斜力、直力还是横力，无论是刚劲、柔劲还是惊抖劲，都要在蓄劲运劲时丹田含气，神意贯指，在发劲时按实用力，吐气发声，所以叫作"谐声"。《少林拳谱》："气自丹田吐，全力注掌中。按实始用力，吐气须开声。"

第八章 名称五法 内附五中

第一节 飞 法直中

飞法者，直中[①]也，性属金，练筋力。有刚坚之气，外刚内柔[②]，有挺劲与横力，能攻坚击锐。

第二节 云 法化中

云法者，化中[③]也，性属水，练柔力。形似波浪，外柔内刚[④]，有弹簧鼓荡，吞吐惊抖之机。

第三节 摇 法圆中

摇法者，圆中也。[⑤]性属木，练身力。刚柔相济，有曲折回环，机惊[⑥]翻浪，抖擞之威。

第四节　晃　法虚中

晃法者，虚中[7]也，性属火，练定力以意而作用[8]。含火机[9]之妙，外静内意[10]，柔刚兼有[11]，有爆烈惊炸之猛。

第五节　旋　法实中

旋法者，实中[12]也。性属土，练圆力。刚柔相合[13]，足有踏八卦、步九宫[14]之奇，象有墩厚、沉实、方正、圆活之象。法曰：“方者以正其中，圆者以应其外，三回九转”，即是此法之意义也。

注 释

① 直中：中线直击。

② 外刚内柔：外形刚猛，内劲柔顺。

③ 化中：柔化对方的中线攻击。

④ 外柔内刚：外形柔顺，内含坚刚。

⑤ 摇法者，圆中也：摇法是两手做立面圆运动，像摇辘轳似的，有圆必有中轴，所以说“摇法者，圆中也”。圆中，有圆有中，相当于“轮轴”。

⑥ 机惊：应为“机警”。

⑦ 虚中：像空心球。

⑧ 练定力以意而作用：意定。

⑨ 火机：火枪的打火击发装置。

⑩ 外静内意：外面形静，内部意定。

⑪ 柔刚兼有：晃闪为柔，还击为刚。

⑫ 实中：像实心球。

⑬ 刚柔相合：刚柔合成一个劲。

⑭ 踏八卦、步九宫：走八卦步、九宫步。

第九章　八卦成象

绪　言

乾、坎、艮、震、巽、离、坤、兑，震为龙，兑为虎，离为牛，坎为马，乾为象，艮为狮，巽为熊，坤为猿。

法曰

游龙　睡狮　威猛虎　精神猿

醉熊　文象　马迹蹄　瞪目牛

第一节　龙

龙象，练精意。龙有游空探爪、缩骨藏形、惊抖缠绕之神。

第二节　虎

虎象，练精炁。虎有怒目、摇首、摆尾、横冲、竖撞、奔披[1]之威。

第三节　马

马象，练腹实，腹实体健而身轻。马有蹟蹄[②]、跳涧之勇。

第四节　牛

牛象，练踨[③]力。久练此象，能生千斤力。牛有两足栽根，身重如山之状。

第五节　象

象象，练筋络。人之一身，大者为筋，小者为络，象有曲伸四体百骸筋络之法。

第六节　狮

狮象，练神气。狮有心定神宁、养性修直[④]之妙。

第七节　熊

熊象，练静力。熊有晃身沉实、气贯丹田之真。

第八节　猿

猿象，练灵神。猿有三闪六躲、轻妙踪[5]跳之灵。

注释

① 奔披：奔走追逐，所向披靡。

② 蹟蹄：用蹄刨击，在对方身上留下印迹。蹟，同“迹”。

③ 踺：踢，蹴。

④ 修直：当为“修真”。

⑤ 踪：原文“踪”误，当为“纵”。

第十章　八象合卦

第一节　四合卦[①]

坤乾卦，猿、象二法相合，土生金，卦名地天泰[②]；坎离卦，马、牛二法相合，卦名水火既济，阴阳相交；[③]震巽卦，龙、熊二法相合，属阴阳二木，卦名雷风恒[④]；兑艮卦，虎、狮二法相合，土生金，卦名泽山咸[⑤]。

注释

① 四合卦：四种合卦。

② 地天泰：坤上乾下，坤为地、乾为天，构成一个“泰”卦：䷊，所以叫作“地天泰”。

③ 水火既济，阴阳相交：坎上离下，构成一个“既济”卦：䷾，所以叫作“水火既济，阴阳相交”。

④ 雷风恒：震上巽下，即雷上风下，构成一个“恒”卦：䷟，所以叫作“雷风恒”。

⑤ 泽山咸：兑上艮下，即泽上山下，构成一个“咸”卦：䷞，所以叫作“泽山咸”。

第二节　四生气卦[1]

乾兑卦，象、虎二法相生，卦名天泽履；坎巽卦，马、熊二法相生，卦名水风井；坤艮卦，猿、狮二法相生，卦名地山谦；震离卦，龙、牛二法相生，卦名雷火风[2]。

注 释

① 四生气卦：四种相生关系构成的卦，分别为“履”“井”“谦”“丰”。

② 雷火风：应为“雷火丰”。

第三节　四绝命卦[1]

艮巽卦，狮、熊二法相克，卦名山风蛊；离乾卦，牛、象二法相克，卦名火天大有；坤坎卦，猿、马二法相克，卦名地水师；震兑卦，龙、虎二法相克，卦名雷泽归妹。

注 释

① 四绝命卦：四种相克关系构成的卦，分别为“蛊”“大有”“师”“归妹”。

法曰

八卦八象阴阳化生　六十四卦内藏真情
性命双修参赞禅功　水火既济火候纯青
联络纵横奇妙无穷　证悟道理性命长生

法曰

练至骨节通灵处　周身龙虎炁横行①
掌心力从足心起　一指霹雳万人惊②
学艺精心求其妙　吐气使力如山崩③

注释

①练至骨节通灵处，周身龙虎炁横行：拳术练到全身骨质坚实、骨关节通利灵活的程度，周身的龙虎二气任意运行。

②掌心力从足心起，一指霹雳万人惊：掌的打击力是从后脚的蹬力来的，后脚一蹬地，脚心的涌泉穴往起一提，前手掌心劳宫穴即吐力达于彼身。有了这种手足相通相印的劲，哪怕只用一两个指头点击对手，也能势如霹雳，使受者不能承受，使观者为之惊惧。

③吐气使力如山崩：发力时配合吐气发声，丹田一紧，能使发出的力如山垮一样不可抗拒。

第十一章

第一节　修养要论

盖夫人生先天体质虚弱，后天失调，久罹[①]病苦，医法已尽，药物无灵，此术能使其身体健康，患根拔除；胆气薄弱，意志颠倒，烦乱不宁，阴阳不交即心肾不交，稍遇惊恐，心胆俱裂，苟能依术锻炼丹田之炁，充实其腹，以镇定心神，而增百折不挠意志力。法不仅愈己之病，而且对于家庭之上，精神、肉体痛苦，亦能随缘普济。换而言之，由肉体方面，渐进向精神进步研究，善能变化人之气质，使刚者柔，弱者强，病者愈，胆惊壮[②]，学者得此要素，则人生多美感之快乐。古圣千辛万苦始得之法门不传[③]，今一朝[④]启其秘藏，明此道理可以通三教[⑤]之真髓矣。

注释

①罹：音 lí，遭受。

② 胆惊壮：胆惊者壮，胆小者变为胆壮。

③ 不传：不轻易外传。

④ 一朝：一旦，一下子。

⑤ 三教：儒、释、道三教。

第二节　生理呼吸

人类呼吸之作用目的，最切要者，曰生活机能，故圣人视息曰命[①]，可知生命与呼吸是非有二[②]，一呼一吸者，即吾人之生命也。欲知生命之真意，必先研究根本，第一步曰呼吸。且吾人肉体中，最重要之物质为血液。夫血液之营养分，非借呼吸不能制造纯良鲜血质，因空中气分中有一种养料，名酸素[③]，此质吸入内部，则使全体能起酸化作用，且酸素与细胞组织中老废物化合而为碳酸素[④]，借呼吸作用以吐出之。空中之新酸素吸入腹内后，则能使黑暗色之旧血液[⑤]为深红纯良之新血液[⑥]，辗转交流，循行全身，是即呼吸收效果目的之法门也。

注 释

① 故圣人视息曰命：所以圣人把气息看作人的命根。

② 非有二：不是两码事。

③ 酸素：氧元素。

④ 碳酸素：二氧化碳。

⑤ 旧血液：静脉血。

⑥ 新血液：动脉血。

第三节　实修内容大纲

（一）正身法；（二）调息法；（三）修心法。其正身法内有注意与随意二法。调息法内有三步呼吸：（1）努力呼吸；（2）丹田呼吸；（3）体呼吸（即法轮长转）。修心法：（1）至诚；（2）守一；（3）腹呼吸。此为修心炼性，次第实修之法门，调息法与修心法，互相结合笃行[1]，而生一种天然之佳趣，下[2]列表以指示结合系统途径（图8）：

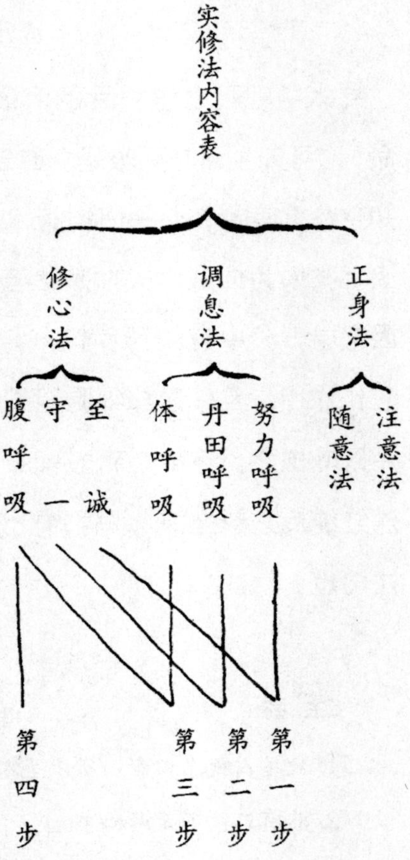

图8　实修法内容表

此表学者初见似难悟会，然实极简易，其要点不过由浅入深。如调息法中之努力呼吸，即丹田呼吸之先导，丹田呼吸又为体呼吸之准备，详而言之，体呼吸又为修道之终法，最上乘之工夫。修心法中，至诚不息，为守一之纲领，守一又为体呼吸之法门，如学者果能至诚不息，则可以入道矣。调息由精神方面作用进于体呼吸，先要铲除杂念，而至诚不息，抱元守一[③]之佳果得矣。

注 释

① 笃行：踏实地实行。笃，音 dǔ，诚笃，忠实。

② 下：下面。

③ 抱元守一：抱持元气、元精、元神，意守丹田。

第四节　正身法[①]

先要注意身体相当之姿势及态度，无论行止、坐卧[②]，务要使脊骨柱正直无曲，首勿倾于前后[③]，耳与肩对，鼻相对脐[④]。《道经》云："尾闾中正神贯顶，炁透三关入泥丸。"此姿势，宜常保守，不但练时为然[⑤]，勿论何时、何地，莫忘却此法，《中庸》云："道不可须臾离"者是也。正身用意，动作皆于法规，不可随意倾跌，学者最宜慎之。

注 释

① 正身法：保持身体中正的方法。

② 无论行止、坐卧：不论运动、静止、坐着、躺着。

③ 首勿倾于前后：头既不要前俯，也不要后仰。

④ 鼻相对脐：鼻子与肚脐上下对齐。

⑤ 为然：是这样。

第五节　注意法

欲实行修养法时，最注意者，即适当之姿势。如练时，先向下腹部，以意沉气贯通，使出[①]小腹突出常人不知此法。但初行时，总苦[②]气不及于腹。其法最紧要者，即闭口齿，以鼻向外徐徐出气而微细有声，出至力不能出时，下腹自然实出[③]。

注释

① 出：当为“出气”。

② 苦：苦于。

③ 实出：当为“突出”。

第六节　随意法

随意法，即权便[①]之法门[②]也。无论行止、坐卧、车上、马上，皆可随意而练之此法用意而练。有一时工夫修一时道，有一刻工夫练一刻心，一日内，十二时，意所到，皆可为。偈曰：“行立坐卧任呼吸，一呼一吸立丹基[③]，唇齿着力学龟息[④]，息字自心[⑤]圣人知，四个橐籥[⑥]八卦炉[⑦]，不知不能立丹基。”

注 释

① 权便：权宜方便。

② 法门：方法门径。

③ 立丹基：建立结丹之基。

④ 龟息：龟的呼吸方法。

⑤ 息字自心："息"字是由"自""心"二字构成的，所以要自心用功。

⑥ 橐籥：音 tuó yuè，古代冶炼用的鼓风器具，这里指呼吸鼓动。

⑦ 八卦炉：这里指丹田。

第七节 三步调息法

调息法者，即调和气息之谓也，分为努力呼吸后天、丹田呼吸先天、体呼吸周天。此三种呼吸，乃是修道始末根本工夫，由粗入细，由细入微，由微入道。若论其极[①]，绵绵若存，若有，若无，若实，若虚，勿忘，勿助，呼吸不从鼻中而出，从全身八万四千毛孔云蒸雾起，往来而出入。道至此时，全体安适，悠悠而入于极乐世界矣。

注 释

① 极：极致。

第八节 呼吸与精神关系

呼吸者，则谓之调息也，息调则心静，息外无心，心外无息。欲得息外无心之妙，必须真调息，息调则心定，心定则神宁，神宁则心安，心安则清静，清静则无物，无物则气行，气行则绝象，绝象则觉明，觉明则性灵，性灵则神充，神充则精凝，精凝而大道成，万象归根矣。

第九节　组织调息法

练功夫时，宜择天朗气清之地，敛情摄念[①]，心无所思，目无所见，鼻无所嗅，耳无所闻，口无所言，神将守形[②]，任从两足行动处，一灵常与炁相随。《坛经》云："行也能禅，坐也能禅；行也绵绵[③]，坐也绵绵，醒也绵绵，睡也绵绵；气升乾顶，气降坤田；[④]出息微微，入息绵绵，至诚不息，性命永安。"

注释

① 敛情摄念：收摄住情绪和思想念头。

② 神将守形：以神守住形。

③ 绵绵：气息绵绵。

④ 气升乾顶，气降坤田：气升则至乾顶，气降则至坤田。乾顶，泥丸宫。坤田，丹田。

按：这是指真气沿任、督二脉进行小周天运转。

第十节　努力呼吸[①]

努力呼吸，与自然呼吸并无大异，惟呼息、吸息[②]稍微用力于下腹部耳。开始行功之时，须将身体立正，面微仰，目斜上视[③]。先从口中念呵字，念得气不能出时念时切莫有声，有声反损心气，然后再用鼻子吸入空中新鲜清气，使肺中十分充满，则横隔膜向下，以意力向下腹用力，徐徐送至丹田，时间停止少许，谓之停息。嗣后，将腹内之气，从鼻中微微呼出，使横隔膜次第向上，而胸部肺底之浊气可以排泄而出。以上呼息、吸息二法，循环为之，其呼吸机能顺通[④]，乃[⑤]移于丹田神意呼吸，偈曰："一呼一吸，通乎气机；一动一静[⑥]，通乎造化[⑦]"，正是此意也。

注 释

① 努力呼吸：这是讲顺腹式呼吸法。

② 呼息、吸息：呼的气息、吸的气息。

③ 目斜上视：眼向前上方看。

④ 其呼吸机能顺通：待其呼吸机能顺通时。

⑤ 乃：再。

⑥ 一动一静：一吸、一停、一呼。动，指吸息和呼息。静，指停息。

⑦ 通乎造化：人在母腹中时没有呼吸，相当于这里的停息，人出生后有了呼吸，相当于这里的吸息、呼吸，这是造化的安排。所以说"一动一静，通乎造化"。

第十一节　丹田呼吸[①]

丹田呼吸，此法与前努力呼吸所异者，呼息气下入丹田，而谓之

“阖”；吸息气辟而上升，谓之开又谓阴阳相交。《易》曰：“一阖一辟谓之变，往来不穷谓之通即明心见性。”呼息下贯丹田，吸息上至心脑谓之水火既济，以心意而存于心肾，使气上下而往返，则精气透泥丸。偈曰：“三田[②]泥丸、黄庭、土釜往返调生息，混元二炁造化机。”神不离气，气不离神，呼吸往来通乎二源[③]。久行此功，则丹田炁充而精凝，精凝则性灵，性灵则神合一，呼吸之息如无呼吸状态。工夫至此，然后可进论体呼吸法矣。

注释

① 丹田呼吸：这是逆腹式呼吸法。

② 三田：即上、中、下三个丹田，上丹田泥丸宫在脑部，中丹田黄庭在心口部，下丹田土釜在小腹部。

③ 二源：即上、下二丹田，上丹田是元神之源，下丹田是元精、元气之源。

第十二节 体呼吸[①]

体呼吸者，乃呼吸最上乘法[②]。前两步呼吸，不过为达此步之途径。虽由丹田呼吸渐进而至于体呼吸，但体呼吸乃是周天法轮之呼吸，此呼吸全不赖呼吸器而出气息，从全体八万四千毛孔云蒸雾起而为呼吸。然此呼吸，实为呼吸最终之目的，最上乘之法门。故习此道者，不可不恒心努力达此境域，盖真体呼吸[③]，虽未易得，而能恒性求之，不难由近似而得真实也。练体呼吸，须要充实气力于下腹，以意在内换气，呼吸从尾闾上升，透脊骨，过玉枕，入泥丸，而至下鹊桥，度重楼，过黄庭离宫心也，至丹田，而谓之一周周天。转法轮，以意力由脐轮向左从小而大，再向右转脐轮，由大而小。由中达外，中全外[4]，由外至中，归无极。此节工夫，乃是精神真正呼吸，非有真传难入其道，非有恒心难达其境，学道者，勉力为之，以期达此境域，是为至盼。

注 释

① 体呼吸：指大、小周天“呼吸”法。

② 最上乘法：最高级的方法。

③ 真体呼吸：真正的体呼吸。

④ 中全外：这三字当为衍文。

第十三节 修心法

修心法者，即成道成[1]不二之法门也。释谓明心见性，道谓修心练性，儒谓存心养性[2]，其名虽殊，则理是一。至其练法，则先藏气于丹田，作丹田中之意识，使头部渐渐冷静，杂念灭除，妄念次第[3]消散，以全身精神集注于下腹，入于无念状态，腹呼吸自然现于意识界，遂成一种抱元守一之象，以期达此三步最上乘工夫[4]，从至诚不息中而求之。修心练性之术，尤愿上等有根器者笃行之。

注 释

① 成道成：当为“成道”。

② 释谓明心见性……存心养性：佛家叫作明心见性，道家叫作修心练性，儒家叫作存心养性。

③ 次第：依次。

④ 三步最上乘功夫：即上节“体呼吸”法。

象形拳法真诠上编

总纲

第一节 虚无无极论[1]

法曰

无虚无极炁中理　太虚太极理中炁[2]

动静乘风分阴阳　相分阴阳为天地[3]

虚无者，○是也；无极者，⊙是也。虚无者，缥缈空空；无极者，混混沌沌。则其中含一点生机，此极为先天真一之祖炁，性命之根，造化之源，生死之本，龙虎二炁发源之始，易谓之太极也，儒谓浩然，道谓金丹，释谓牟尼，正此之谓也[4]。名虽殊，其理则一，知此道理可以入德矣。

（开始）预备起点，先将身体立正，两手下垂，面微仰，目平视，两足九十度之姿势，听息下行，使气充实丹田，心中屏除一切杂念，无思无虑，五蕴皆空[⑤]，此势顺行天地自然化生之道，又谓之混元一炁，取一炁含万象，以后无论演各法象[⑥]，皆依此而开始。（图9）

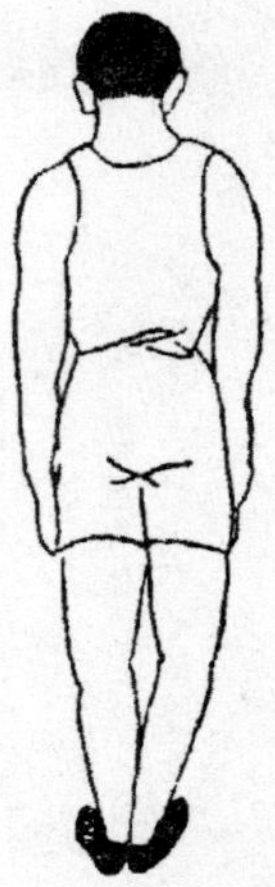

图9　总纲无极图

注 释

① 虚无无极论：本节讲无极的原理和站无极式的方法。

② 无虚无极炁中理，太虚太极理中炁：虚无无极式是炁中含理，太虚太极式是理中含炁。

③ 动静乘风分阴阳，相分阴阳为天地：太极动而生阳、静而生阴，阴阳就是天地（在拳术中，则由无极式生太极式，再由太极式生两仪式）。

④ 易谓之太极……此之谓也：《周易》里面叫作太极，儒家叫作浩然之气，道家叫作金丹，佛家叫作牟尼珠，都正是讲的这个“祖炁”。

⑤ 五蕴皆空：五蕴都不存在了。五蕴：色蕴、受蕴、想蕴、行蕴、识蕴，总之是指一切精神世界和物质世界的总和。

⑥ 法象：象形术的各种拳法叫作“法象”。

第二节　太极论[1]

法曰

太极动静分阴阳　　少阴少阳体中藏
阴阳互生为四象[2]　　中间五土自生黄[3]

太极者，炁形之本，无极而生有极也。[4]自无归有，有必归无，无能生有，有无相生，无有尽时，则绵绵流行不息。太极阳仪是气之伸也，太极阴仪是气之缩也，太极中于四象，两仪之母也[5]。其性属土，天地万物皆由土而生，故万物之旺，以土为本；万物之衰，由土而归根。取之于身，在脏属脾，为土，脾旺则四体百骸健全。取诸于法象为旋法[6]，土力也，内包四法，即金力、水力、木力、火力是也，共谓五德，而又谓之五行也。

（化身[7]）将无极之势，半面向左转，左足根靠右足里胫骨，为四十五度势；随时再将身体下沉，腰塌劲，头顶劲，目平视。内中神意，抱元守一[8]，取义“中立不倚，和而不流”。[9]口似张非张，似合非合，舌顶上颚，谷道微提。此势取法[10]一炁含四象，谓之揽阴阳，夺造化，转乾坤，扭气机，于后天之中，返先天之真阳，退后天之纯阴，复本来之真面目，归自己之真性命，而谓之双修[11]也。故心一动而万象生，其理流行于外，发著于六合之远[12]，无物不有；心一静，其意退藏于密[13]，无一物之所存。所以数不离理，理不离数，数理兼

用，方[14]生神化之道。体用一理，动静一源。分而言之为化象[15]，合而言之仍归一炁也。（图 10）

图 10　太极两仪图

注 释

① 太极论：本节讲太极的原理和太极式的站法。

② 四象：少阴、少阳、太阴、太阳即金、木、水、火为四象。

③ 中间五土自生黄：中间自有中五之“土”，其色为黄。

④ 太极者……生有极也：太极（式），是内炁与外形的本源，是无极而生的有极。

⑤ 太极中于四象，两仪之母也：太极（式）终结于四象（式），是阴、阳两仪的母体。即太极生两仪，两仪生四象。“中”应为“终”。

⑥ 取诸于法象为旋法：（将太极之理）拿来用在拳法上就是旋法。诸于，当为“之于”。

⑦ 化身：换势，由无极势转为太极势。

⑧ 抱元守一：意守丹田。

⑨ 取义“中立不倚，和而不流”：取义于《中庸》的“中立不倚，和而不流”。中立不倚：中道而立，不偏不倚。和而不流，与人和平相处而不随流俗。《中庸·子路问强》：“故君子和而不流，强哉矫！中立而不倚，强哉矫！”

⑩ 取法：取法于。

⑪ 双修：性命双修。

⑫ 六合之远：天地之间无穷远处。六合，天地四方为六合。

⑬ 其意退藏于密：由心产生的意退回藏在秘密之处，即意守丹田。

⑭ 方：才。

⑮ 化象：各种拳法。

第一章　飞法会真

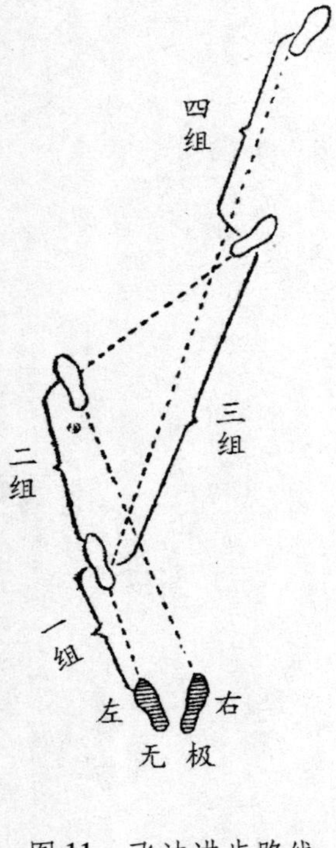

图11　飞法进步路线

飞法性似闪电，属天干庚辛。在身为肾，两仪也，属右命门；在五行属金情也，有白虎肺金之气。形之于性体，筋络舒畅，丹田炁足，灵炁贯顶，玄门[1]谓之曰云朝顶；形之于拳法，骨坚如金石，动如闪电，缩身而起，长身而落，有挟人之技，穿针之妙，点穴之精，返身旋转之灵通。行如流水，无坚不入，无物不摧，故曰属金力者是也。其拳顺，则肺金之气和畅，而无咳嗽之疾；其拳谬，则肺努而体弱，弱则生病，学者尤宜加意焉。步径斜曲，两步一组，图列后（图11）。

法曰

白虎之精五行肺金　　丹田火发灵炁通神

形于拳法闪电穿针[2]　　四体和畅刚柔齐伸

注释

① 玄门：即道教。老子《道德经》："玄之又玄，众妙之门。"

② 闪电穿针：利用闪电的瞬时光亮把线穿进针眼，形容快而准。

第一节　飞法：开始

将两仪之势，（步法）右足不动，左足向左斜进步成斜丁势，两股曲弓[1]。左足尖挺劲蹬力，膝盖上提。右足全蹬力，膝盖下跪劲，两膝里相合，小腹放在大腿根上。（手法）两手同足进时，向里合劲，合至手心朝上，从心口上起，往前托劲伸出。两肱抱撑[2]，似直非直，似弓非弓[3]，右手在左手腕下、肘前，相离三四寸[4]。目视左手中指梢。鼻与手对，手与足顺。[5]两肩松开，两胯根塌劲，是肩与胯合；两肘微垂劲，两膝合劲，是肘与膝合；两足蹬劲，两手五指伸劲，是手与足合，此谓之外三合也。要而言之，是肩催肘，肘催手，腰催胯，胯催膝，膝催足，上下合而为一。此身法，不可前栽后仰，左斜右歪。正是斜，斜是正；阴为阳，阳则阴，阴阳相合，内外如一，谓之六合也。总而言之，六合是内外阴阳相合。阴阳相合，则[6]两仪分象，三才而生之法门也。取之[7]拳意，谓金手。金手刚猛，力能攻坚击锐，

故各法象，皆依此开始而化身[8]也。（图 12）

图 12　飞法开始左图一

法曰

三才三身非无因　　分明配合天地人

三元[9]灵根[10]能妙用　全体法象亿化身

法曰

左足斜出　右足斜横

两股形曲　两足力蹬

手心朝上　前伸顺胸

两肱抱撑　目视手中

肩松胯坠　头要上顶

五指各分　阴阳化生

两仪分象　化身意也无穷

三元灵根　久炼坚凝

注 释

① 两股曲弓：两腿弯曲。

② 两肱抱撑：两臂既抱又撑。

③ 似弓非弓：似曲非曲。

④ 相离三四寸：与左手相距三四寸远。

⑤ 鼻与手对，手与足顺：前左手与鼻子前后对齐，前左手与前左脚对成一顺。

⑥ 则：则是。

⑦ 取之：取之于。

⑧ 化身：变化。

⑨ 三元：元精、元气、元神。

⑩ 灵根：灵慧之根，即先天祖炁。

第二节　飞法：左化身变化是也

图 13　飞法左化身图二

左足不动，右足向前进步，足腕挺劲；右手心朝上，亦同时顺左手腕外①，向前稍拧伸劲直出②；左手掌同时顺右肱向里合劲，至手心朝下，往回极力拉劲，至右肘下紧靠停住；两肱抱撑③，曲伸④，两肩松开，两股弯曲，头顶，身挺，胯坠，仍如前势，目视右手中指。（图 13）

法曰

左足不动　右足前进
左手回拉　右手前奋[5]
前手取鼻　后手肘近[6]
手足与鼻　列成直阵[7]
头顶足蹬　肩窝吐劲[8]
两肱抱撑　丹田气沉

注释

① 外：外侧。

② 稍拧伸劲直出：边外拧、边向前上穿出。

③ 两肱抱撑：两臂既有里抱劲又有外撑劲。

按：这是说左右横向。

④ 曲伸：微曲着前伸。

按：这是说前后纵向。

⑤ 左手回拉，右手前奋：左手往回拉劲，右手奋力前穿，两手合成一个对拉的整劲。

⑥ 前手取鼻，后手肘近：前手穿击对方的鼻子，后手回到前肘附近。

⑦ 手足与鼻，列成直阵：手尖、足尖、鼻尖三尖相照，整体构成一个前后竖向支撑结构。

⑧ 头顶足蹬，肩窝吐劲：头向上顶劲，后脚用力蹬地，肩要松沉，肩催肘，肘催手，“松肩以出劲”。

第三节　飞法：右化身一

图 14　飞法右化身图三

左足不动，右足向右方斜进步①；右手心仍朝上，臂肱挺劲②，同足进时③，用横力向右直出；左手不动原势，与右手同时向右横力；肩松，胯坠，气沉，腿曲，身子半阴半阳④，目注意右手中指。（图 14）

法曰

左足莫动　右足右进

两手原势　横力挺劲

目力贯指　丹田气沉

肩松胯坠　腰似车轮

挺劲贯顶　身有平准

注释

① 右足向右方斜进步：右脚向右前方进步。

② 臂肱挺劲：大小臂保持挺劲不懈。

③ 同足进时：于右脚进步的同时。

④ 身子半阴半阳：身子为 45 度斜身势。

第四节　飞法：右化身二

右足不动，左足向前进步；左手同足进时，顺右肱外拧至手心朝上，极力伸出，至极度为止①；右手亦同时向里合劲至手心朝下，顺左肱向回拉劲，至左肘前紧靠，停住②；两肱、两股、胯、腰、膝之劲力，仍同前势，目视左手中指。再向前练，左右二势化身，手足身法步均同，数勿拘。(图15)

图15　飞法右进化身图四

法曰

右足不进　左足前行

左手前伸　顺肱右肱也出拧

右手合扣　回拉护胸

目意贯指　精炁贯顶

注释

① 左手同足……至极度为止：左手在左足进步的同时，顺着右小臂外侧，边外拧边向前上穿出，至终点时探成手心朝上。

② 右手亦同时……停住：右手也在左足进步、左手前穿的同时，顺着左小臂，一边里拧一边向后拉回，拉至左肘前下，紧靠左小臂停住。此时右手手心朝下。

第五节　飞法：回身法

图 16　飞法右回身图五

左足在前，右转身；右足在前，左转身。（右转回身法）先将左足尖向回扣步，与右足尖相对成八字势；左手同足扣时，向右肩平合劲。①右足随进仍顺②，右手同时顺左肱肘外扭劲前伸，至极度止，高与肩平；左手随向里合劲，手心向下，顺右肱往回拉劲，至右肘下停住紧靠，目视右手中指。再进步化身，法均同，收势原地③休息。（图 16、图 17）

法曰

左足回扣　随势转身

左手右合　右手前伸④

右手进前　手足对准鼻子也

目视手掌　听息下沉⑤

再向前演　手足莫紊

左右回身　依此法箴⑥

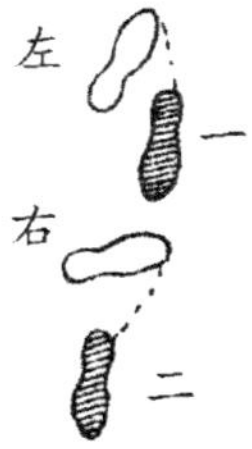

图 17　回身路线

注释

① 左手同足扣时，向右肩平合劲：左手在扣步右转身的同时，向右平合至右肩前。

按：这是回身第一动。

② 右足随进仍顺：右脚随后进步，仍然摆顺。

按：这及其以下是回身第二动。

③ 收势原地：收势于原出发地。

④ 左手右合，右手前伸：（先）左手向右肩处合，（再）右手向前穿出。

⑤ 目视手掌，听息下沉：（右手前穿发力时）要目视右手中指，同时擤气，气沉丹田。

⑥ 左右回身，依此法箴：无论左、右回身，都照此方法、要领。

第二章　云法会真[1]

云法性似波浪，属天干壬癸[2]，性能一气流行，忽高，忽低，荡荡流行，绵绵不息。以拳法性情言之，云从龙，身体行动如神龙游空，蜿蜒旋转，行踪无定，犹水之流，克[3]尽其曲折能事。取诸身属肾，在五行属水，故谓之云法水力也。此拳形，外和顺而内刚猛，有丹田炁实之妙，古仙云："丹田气实，身轻体健"，正是此形之要义也。拳行顺，则清气上升，浊气下降，百疾不生；拳行逆，则意矢[4]其真，气不下降，两足如浮萍，真劲不生，拙力不化，终身未克有济[5]也。步径曲直无定，两步一组，学者最宜深究其妙道，图列后（图 18）。

法曰

云龙游空忽高忽低　荡荡流行绵绵不息

行迹无定身轻腹实　万缘皆空精神蓄之

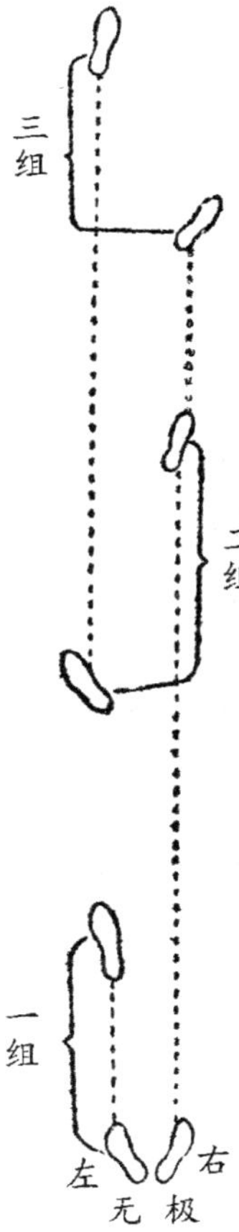

图18　云法进步路线

注 释

① 云法会真：云法真义。会，领会，会悟。真，真义。

② 属天干壬癸：属于天干中的壬癸。

按：云法具有水的性质，而天干中的壬癸为水，所以说云法“属天干壬癸”。十天干与五行及四方的对应关系为：东方甲乙木，南方丙丁火，中央戊己土，西方庚辛金，北方壬癸水。

③ 克：能。

④ 矢：原文“矢”误，当为“失”。

⑤ 未克有济：不能成功。济，成功。

第一节 云法：开始

无极之姿势①，先将左足向前进步，右足不动；左右两手同足进时，从胸向前极力伸出，左手心朝上，高与左肩，顺膝；②右手心亦半朝上③，掌伸至左手腕下，相离四五寸；两肩松开，两肱曲伸，头要上顶，腰挺胯坠，两股曲弓，双手腕皆宜挺劲，目视左手心，势谓之云法接手。（图 19）

图 19 云法左开始图一

法曰

左足先开　　右足斜横

两手同发　　迅速要猛

前手平肩　　后手抱胸

腰挺胯坠　　头宜上顶

四腕挺力手足指腕　股肱曲弓
目视手心　　　　精气要充

注释

① 无极之姿势：由无极势。
② 高与左肩，顺膝：高与左肩相齐，与左膝相顺。
③ 右手心亦半朝上：右手心半朝上、半朝左。

第二节　云法：化身[1]

图20　云法左捋手图二

右足不动，再将左足尖斜横[2]，向前进步；左手同足进时，向里合劲[3]，合至手心朝下；右手亦同时向里往上扭劲[4]，扭至手心朝上；两手一齐向后极力拉劲[5]；右肱拉至肘在胸，手顺左膝，与心口相平；左手拉至右肘旁大指相靠[6]。身含缩力[7]；臀下坐力，两肱曲弓，两足蹬力，[8]目视右手心。（图20）

法曰

右足不动　左足进横[9]
双手阴阳[10]　回捋缩弓[11]
左手肘近　右手平胸[12]
臀向下坠　头宜上顶
股肱曲弓　两足力蹬
目视前手　神意兼雄

注释

① 化身：换势。
② 左足尖斜横：左足尖外撇约45度。
③ 向里合劲：（左手）向内拧。
④ 往上扭劲：（右手）向外拧。
⑤ 拉劲：此为捋踩劲。
⑥ 大指相靠：大指靠右肘。
⑦ 身含缩力：身向后下缩。
⑧ 臀下坐力……两足蹬力：臀往下坐，两臂弯曲，两脚蹬住劲。
⑨ 左足进横：左脚进成外横脚。
⑩ 双手阴阳：两手一阴一阳。
⑪ 回捋缩弓：往回弯曲捋捋。
⑫ 左手肘近，右手平胸：左手靠右肘，右手落在胸前。

第三节　云法：化身

左斜之足不动，右足向前进步[1]；两手原势不变，极力向前推劲伸出[2]，右手伸至高与右肩平顺，左手伸至右手腕[3]；股肱皆要半圆形势，肩松开，挺膝，坐胯，目视前手心（图21）。再演，化身，手足身法如一图（图19）、二图（图20），数勿拘，左右进步，化身，皆依此类推。

法曰

左足不动　右足前进
两手原势　极力前奋
右手顺肩　左手腕近
手足与鼻　列成直阵
化身再演　手足莫紊
依此法规　变化通神

图21　云法化身进步图三

注释

① 右足向前进步：右脚进到左脚前。

② 极力向前推劲伸出：极力向前推出。

③ 左手伸至右手腕：左手伸至右手腕处。

第四节　云法：回身法

左足在前，右转身；右足在前，再转身。（右转回身法）先将左足尖向回扣劲，与右足成八字形，右足随进成顺[1]；右手同转身时，向里合劲至心口上，左手亦向下合，往怀中抱劲，至右肘[2]，同时极

力伸出，如云法一图（图19）。回演化身，仍如前势，归与[3]原地休息。（图22、图23）

图22　云法右转回身图四

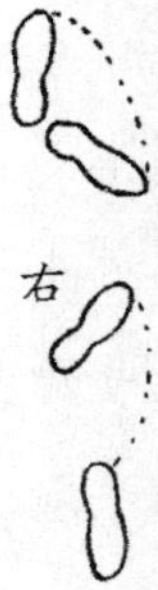

图23　回身路线

法曰

左足回扣　右足顺进

两肱合抱　随转前伸

左右化身　手足莫紊

原地收势　屏息下沉

注释

① 右足随进成顺：右足随后再进步成顺脚。

按：左脚扣步、右回身是第一动，右脚再进成顺是第二动。

② 至右肘：至右肘处。

按：两手合抱回捋与扣步回身同步，属第一动。以下“同时极力伸出”与“右足随进成顺”同步，是第二动。

③ 与：古时“与”“于”通用，此处当作“于”解。

第三章　摇法会真

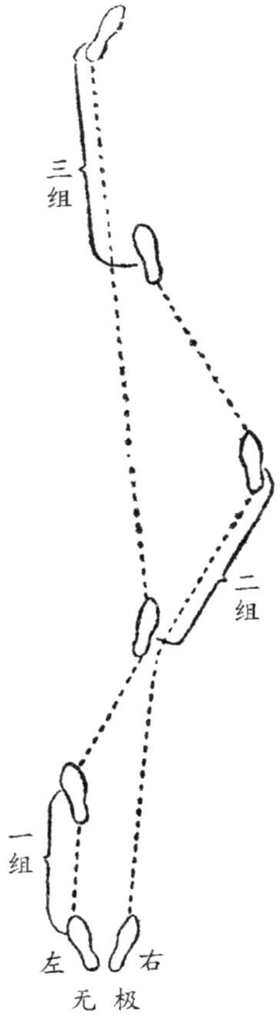

图24　摇法进步路线

摇法性似龙，属天干甲乙。在身为肾两仪，属左肾门。在五行为木性也，在五脏属肝，有青龙肝木之炁。施之于身则平肝固气，形之于四体百骸，则皮肉如绵，而筋骨如刚，骨骼无处不生锋芒曲直之形。以拳法妙用言之，活动筋络，能曲能伸，有飞腾变化之神，有静中策动[①]之妙，故曰：摇法性似龙，属木力者是也。此拳外静而内动，外柔顺而内刚猛。拳形顺，则心中虚空，丹田炁坚释教谓之牟尼珠，平肝固气，而目光明；拳形逆，则性味不灵[②]，气滞伤肝。肝伤则两目昏瞀，动罹疼痛之患[③]，学者不可大意。若能细心研究其妙道，神乎技矣。步径斜曲，两步一组，图列后（图24）。

法曰

青龙之炁五脏属肝　四体百骸筋骨刚绵[④]

外静内动丹田炁坚　精炁贯顶劲起涌泉[⑤]

注释

① 静中策动：静中寓动。策，鞭打，引申为促进、促动。

② 性味不灵：其性蒙昧不灵。原文“味”字误，当作“昧”。

③ 动罹疼痛之患：动则遭受疼痛的疾患。动，动则，动不动就。罹，音 lí，遭受。

④ 筋骨刚绵：筋绵骨刚。

⑤ 劲起涌泉：劲起于涌泉，劲由涌泉穴传上来。

第一节　摇法：开始

无极势[①]，右足不动，左足前进步[②]；双手同时手心翻上[③]，平心口[④]极力向前伸出，左手顺膝平肩[⑤]，右手伸至左手腕下[⑥]（势谓之无极接手）。势不停，两手阴阳[⑦]，向左斜横（弧形）极力捋劲[⑧]，右手心捋至朝上，肘顺左膝平乳[⑨]；左手捋至手心向下，在右肘旁，相离四五寸。形象右肩左膝[⑩]，头顶身拗[⑪]，目向右平视[⑫]。（图 25）

图 25　摇法左开始图一

法曰

右足不动左足前进　双手翻上顺力前伸

伸势不停回捋斜劲　左手抱肘右肘顺心

两手阴阳目右⑬传神　舌卷气息屏气下沉

注释

① 无极势：由无极势。

② 前进步：向前进步。

③ 手心翻上：手心翻成向上。

④ 平心口：从心口。

⑤ 左手顺膝平肩：左手与左膝相顺，与左肩相平。

⑥ 下：后下方。

⑦ 两手阴阳：两手一阴一阳。

按：这里的过渡动作没有交代，应当先将右手伸到左手前上。

⑧ 向左斜横（弧形）极力捋劲：向左后下弧线捋捋。

⑨ 肘顺左膝平乳：右肘与左膝相顺，高与乳平。

⑩ 形象右肩左膝：形式上右肩、左膝在前。

⑪ 身拗：身拗向左侧。

⑫ 目向右平视：即眼仍看正前方。

按：图一中眼法及右手法均错。

⑬ 目右：即“目向右平视”。

第二节　摇法：化身[1]

左足先向右进步[2]，右足随前大进步[3]，足尖稍向里合[4]；两手阴阳[5]，同足进时[6]，向右斜横（弧形）极力捋劲[7]，左手心捋至朝上，肘顺右膝平乳[8]；右手捋至朝下[9]，在左肘旁，相离四五寸。势象左肩右膝[10]，目顺左手心前视[11]。再演化身，手足身法意均相同。（图 26）

图 26　摇法右化身图二

法曰

左足斜步右足大进　两手阴阳斜横捋劲向右

左肩右膝目顺手心　右手旁肘[12]左肱曲伸

左右化身势不宜紊　依法类推阴阳通神

注释

① 摇法化身：摇法变势。

② 左足先向右进步：左脚先向右前方垫步。

③ 右足随前大进步：右脚随后向左脚的右前方大进一步。

④ 里合：里扣。

⑤ 两手阴阳：两手一阴一阳（左阴右阳）。

⑥ 同足进时：于右脚进步的同时。

⑦ 向右斜横（弧形）极力捋劲：向右后下弧线极力捋踩。

⑧ 肘顺右膝平乳：左肘与右膝相顺，高与乳平。

⑨ 右手捋至朝下：右手捋至手心朝下。

⑩ 势象左肩右膝：成左肩、右膝在前的形式。

⑪ 目顺左手心前视：眼顺着左手心向前看。

⑫ 右手旁肘：右手捋至左手旁。

第三节　摇法：回身法

左足在前，右转身；右足在前，左转身。[①]（左转回身法）右足向左足傍[②]回扣步，成大斜八字势，左足随进[③]；两手同转身时，阴阳合力，向左斜横（弧形）捋劲。左手心向下，仍抱右肘；右手心向上，仍顺左膝、平肩，与前势相同。左右回身依此法，收势原地[④]休息。（图 27、图 28）

图 27　摇法左回身图三

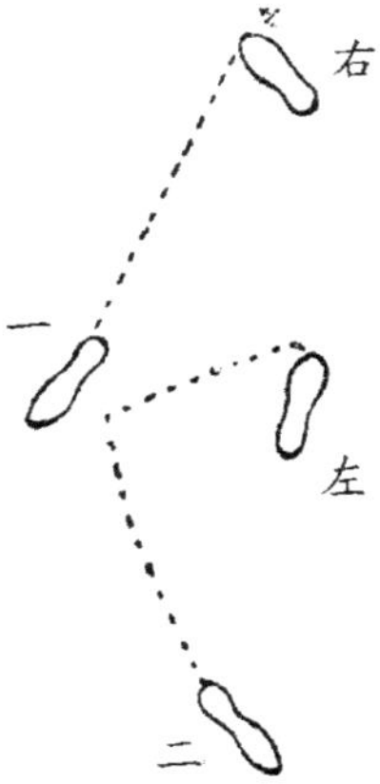

图 28　左回身线

法曰

右足回扣　左足随进

两手阴阳　随势化身

手足变化　肱曲力伸⑤

两股弓曲　足指扣劲⑥

收势休息　丹田气沉

注释

① 左足在前……左转身：左足在前则右转身，右足在前则左转身。

② 左足傍：左脚的外边。

按：扣步转身，这是第一动。

③ 左足随进：左脚随后再向（转身后的）左前方进步。

按：这是回身第二动。以下双手合力捋踩与此同步，属于第二动。

④ 收势原地：收势于原起点处。

⑤ 肱曲力伸：两臂形曲力直。

⑥ 两股弓曲，足指扣劲：两腿弯曲，脚趾抓地。

第四章　晃法会真[1]

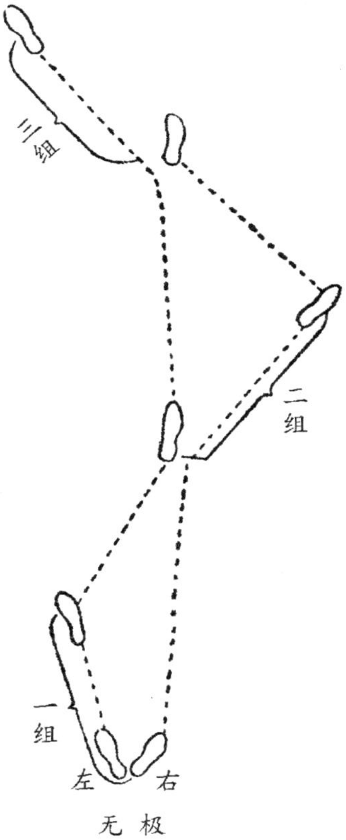

图29　晃法进步路线

晃法性似醉翁颠倒内含真火，在天干为丙丁，在五行属火，取诸身为心。生心为性，性定即禅，心动即机，机动则猛虎出林，火发则神龙游空。[2]形之于内，有禅机之妙，醉翁火发[3]之意；形于拳法，用之发手如爆烈之炸弹，势动如火之烧身[4]。有捭音背起也摔[5]之功，有猿猴之灵，且异常猛烈，刚柔相济，故曰晃法火力也火有性而虚无。拳形和，三昧通灵，躁心化，玄妙生，体舒神畅；拳形不和，则中心不空，四体失中，筋络拘率[6]，诸法皆不得中立地步，学者不可不慎焉。倘能详细研究，得其真诠[7]，以术接命，而寿延年。[8]身拗步斜，两步一组，图列后（图29）。

法曰

醉翁性颠颠倒颠　性定神安醉如眠

禅机一动真火发　性命皈根[9]见玄关

三昧通灵成大道　以术延命寿绵绵

注释

① 晃法会真：晃法真义。会，会悟，领会。真，真义，真理。

② 生心为性……神龙游空：由心生出来的是性，性定了就是禅，心一动就是机，心机一动则如猛虎出林，心火一发则如神龙游空。生心为性，生于心者为性。机，火枪上的击发机构，一触即发，所以说“心动即机”。

③ 醉翁火发：醉酒的人心火发作。

④ 如火之烧身：如自身被火烧灼。

⑤ 捭摔：摔拍。捭，音 bǎi，两手排击。

⑥ 拘率：应为拘牵，拘束、牵制。

⑦ 真诠：真意，真理。

⑧ 以术接命，而寿延年：用法术接续、延长寿命。

⑨ 性命皈根：性命各归其根。皈，归。

第一节　晃法：开始

图 30　晃法左开始图一

无极势①，右足不动，左足向左斜②进步；左右两手同足进时，向里扭劲，至手心朝上，平心口③一齐往前极力伸开，如托重物相送之意，与肩相平。两肱曲伸④，如怀中抱物之势。俟⑤伸至极端，两手随⑥向下翻劲平胸头要上顶力，如托物猛翻下放之意，两手俟平胸之时不停，仍手心翻上，还成托物之势。股肱曲伸，头顶，身挺，目视两手中间。（图 30）

法曰

左足斜进　　右足斜横
双手起伸　　托物手中
俟伸极端　　翻放平胸
势不宜停　　翻上要猛
仍落起势⑦　　目视掌中两手中间

注释

① 无极势：由无极势。

② 左斜：左前方。

③ 平心口：从心口窝处。

④ 两肱曲伸：两臂半曲半伸。

⑤ 俟：音 sì，等。

⑥ 随：随即。

⑦ 仍落起势：仍归于起势。

第二节　晃法：化身

左足向右斜进步[1]。两手托物之势不拳回[2]，同足进时，再向上起，端劲齐眉，向右方摇肩晃身，两肱似画上半圆形；[3]右足随大进[4]。两手俟右足着地时，随向下翻劲平胸，如托物翻放之意[5]，两手俟至胸不停，仍翻上成托物之前势。[6]再演，惟两肱不拳回，手足身法步相同，数勿拘。(图 31)

图 31　晃法右化身图二

法曰

左足右开[7]　手托上举

摇肩晃身　肱半圆势

右足着地　翻落猛起手翻上起

势不宜停　互相一理

手足身法　以此为之

注释

① 左足向右斜进步：左脚向右前方垫步。

② 不拳回：不收回。拳，屈曲。

③ 同足进时……似画上半圆形：在左脚垫进的同时，两手向上端起到眉的高度，再随着腰身肩右旋而向右横送，两手臂像画一条上半圆弧。摇肩晃身，即摇晃肩身，肩身向右横向摇动。

④ 右足随大进：右足随后大进一步到左足的右前方。

⑤ 如托物翻放之意：就像将一件东西先托起来再翻手放下的意思。

⑥ 两手俟至胸不停，仍翻上成托物之前势：两手一放即起，仍成端物之势。

⑦ 左足右开：左脚向右前方开步。

第三节　晃法：回身法

左足在前，右转身；右足在前，左转身。（左转回身法）右足先向左转身进步扣势，与左足成大斜丁势①，两手仍托物之势，随同上起，摇肩晃肱②齐眉；左足随转身进步仍顺③，两手俟左足着地，仍猛翻下放，上起，与前势精神、劲力均同。左右回身，皆依此法，收势原地休息。（图 32、图 33）

法曰

右足回扣　　随势转身
两手上举　　两肱力伸
左足随进　　手翻气沉
下落上起④　　力举千斤
左右互换　　手足莫紊⑤

图 32　晃法回身图三

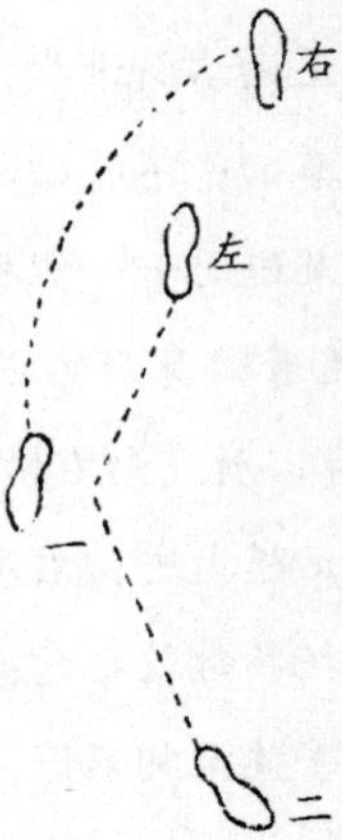

图 33

注 释

① 大斜丁势：大斜“丁”字势。

② 摇肩晃肱：向左摇晃肩身，两臂托势横送。

按：扣步回身及摇肩晃身是晃法回身第一动。以下进左足及两手臂下放、上托为第二动。

③ 仍顺：仍是顺落。

④ 下落上起：先下落再上起。

⑤ 手足莫紊：手法足法不要紊乱。

第五章　旋法会真

旋法[1]性似旋风，在天干属中央戊己，在五行属土，取诸身为脾。脾者，意也，为人之元性[2]。意能变通万象[3]，如土能生长万物也。形之于身内，属阴阳二炁阖辟之机，左旋右转，一起一伏，两者循环，形似璇玑[4]。释谓法轮，道名周天，孔云行庭。[5]形之于拳法性能，是一气之开合，其形圆，其性实，无纵横[6]，旋转似弹丸，万法开端[7]，能与各法相合，故曰土力也。形势顺，则内五行合，身体健壮，百疾不生；形势逆，则气努伤脾。脾胃虚弱，则五脏不克溶化食物，各疾因此而生，诸法亦失其真意矣。学者深思默悟而得之于身心，以通诸窍。步径：斜八、正八、斜丁、正丁，[8]内含八卦图，图列后（图 34）。

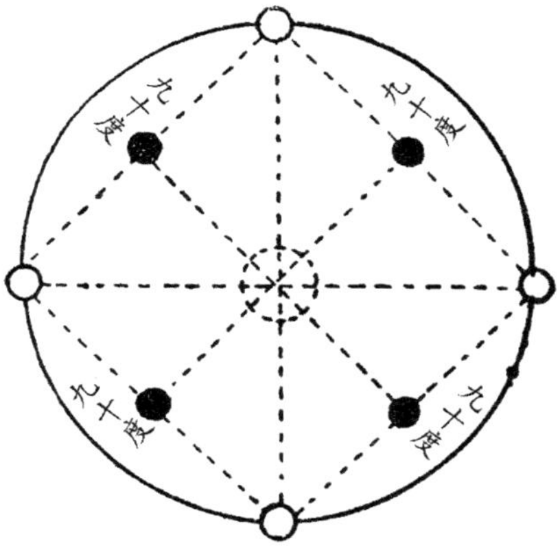

图 34　旋法步径图

法曰

天旋其外寒暑无穷　身旋其内术命相通[9]

形之于拳开窍通灵　脾胃健壮百疾不生

旋法与各法之步径不同，由中央戊己土开始，以立正九十度之无极势开步，左旋右为齐（主也），右旋左为齐。[10]此图外圆内方，取天圆地方中央土之意。足之动机、开合[11]，皆依正八、斜八、正丁、斜丁，或左向右，或右向左，九十度之步骤为之。其动机之四周[12]，合三百六十周天之数，学者悟此图之禅机，游身、化象、八卦、九宫之玄理在其中矣。道云："得其一，而万事毕"，即此意也。

注释

① 旋法：旋法的练法是两脚一扣（合）、一摆（开）循环转圈，两手一钻、一抓踩循环运动。

② 为人之元性：（意）是人的元性。

③ 意能变通万象：人的意识能够反映各种客观对象。

④ 璇玑：古天文仪器"浑仪"的一个旋转部件。

⑤ 释谓法轮……孔云行庭：佛家叫作转法轮，道家叫作周天，儒家叫作行庭。

⑥ 无纵横：无纵无横，既无纵势，也无横势。

⑦ 万法开端：为万法开端。

⑧ 步径……正丁：步法为斜"八"字、正"八"字、斜"丁"字、正"丁"字。

按：“八”字步为扣步，“丁”字步为摆步。

⑨ 天旋其外寒暑无穷，身旋其内术命相通：天地在身外公转自转造成寒来暑往的无穷变化，身体在天地之间的公转自转则能让拳术与性命相通。

⑩ 左旋右为齐（主也），右旋左为齐：先由左向右旋转，再由右向左旋转。前者为主，后者为辅。

⑪ 动机、开合：即“启动、开合”，摆步为“开”，扣步为“合”。

⑫ 动机之四周：起点之四周。

第一节　旋法：开始

图 35　旋法左转身开步一图

无极势，先将右足向左足旁[1]回扣，进步成八字势（此谓之合）。左手随右足扣步时，向里合劲，从胸前，顺右乳上蹚，至手心朝上，与顶相齐[2]，肘与右膝相顺[3]，右手亦同时向里合，外扭至手心朝下，大指紧靠右胯。头顶，身拧，膝扣足蹬，目视左手心。（图 35）

法曰

右足回扣两足八形

左手上伸极力蹚拧

左肘右膝目视手中

右手心下肱稍外拧

头身挺起两肱拗弓[4]

注释

① 左足旁：左脚外边。

② 与顶相齐：与头顶相齐。

③ 肘与右膝相顺：左肘与右膝上下对顺。

④ 两肱拗弓：当为“两股拗弓”，即两腿弯曲拗住。

按：因此势两腿拗合，可以叫作“合”。

第二节　旋法：化身

右足不动，左足向外进步，与右足成反八字足谓之开[①]。左手向外扭，用抓力，俟左足着地，随向下攦劲[②]，攦至左胯，手心朝下，肱稍外扭。右手亦同转身开步时，向里合劲，从胸顺左乳上躜，与顶相齐，与左膝相顺。头顶，身拧，足蹬，目向右视。再进步化身，右足仍扣，左手上躜，右手下攦，与扣步图一同（图35）。再化身与图二同（图36），数勿拘。如右转化身，手足身法均同，收势归于无极休息。

图36　旋法左转身开步二图

法曰

左足进开八卦成形　左手抓拧下攞胯平
右手上躜手心平顶　右肘左膝挺颈身拧
两足蹬力目视顺平　右转化身与此雷同

注释

① 足谓之开：当为“此谓之开”。

② 随向下攞劲：随即向下抓捋。攞，同“捋”。

第六章　五法合一五行

天有阴阳阖辟[①]之机，人有阴阳动静之理。天有寒暑，人有虚实。天地合气，别为九野[②]，分为四时。月有大小，日有长短。人身阴阳不离呼吸，阴阳动静，合乎天地[③]。阴阳生化，分为四象，合中五行。[④]内有五脏，外有五官，皆与五行相配。心属火，肝属木，脾属土，肺属金，肾属水，此五行隐于内。舌通心，目通肝，鼻通肺，耳通肾，人中通脾，此五行发于外。且五行有相生之道，水得金而生，木得水而达，火得木而旺，土得火而多，金得土而生，阴阳化生，万物育焉。五行相克，木遇金而伐，火遇水而灭，土遇木而克，金遇火而缺，水遇土而绝。五行之气，万物尽然，岂可胜竭?[⑤]且五法拳术之生，取义包罗万象。五法之克，以应敌，取其五种力也。生克之理，取义命名，亦犹[⑥]此意。五法分演谓之辟，合演谓之阖，单习谓格物，合而谓修身[⑦]。单习不熟，且莫合演，因内中神化难得贯通一气，且拳法贵乎一气呵成，不可中间断意。五法合一演习，势如连珠箭，无论地址大小皆可为之。小者，用八字步进退、转身；大者，飞行九宫之步使于游身化影、缩身藏形。[⑧]其大无外，其小无内，狭小之地，且不觉其小，方圆宽大之处亦不见其大。合一图路线谓之初步，如往宽大演之，至十二节旋法（土力）不回身，仍接演左手飞法（金力），再演前势。如回身，至旋法而回演，进退往返四十八势矣。⑨学者依图悟象形⑩神妙禅机，点穴妙法，剑术神化，诸器械应用，无不含藏其中，知此术可以通神明矣。（图 37）

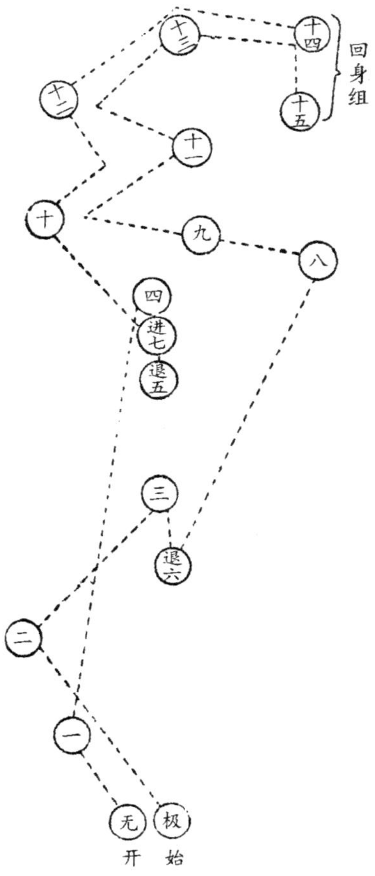

图 37　五法合一五行步径图

注释

① 阖辟：开合。阖，关闭。辟，打开。

② 九野：古代指天的中央和八方。即中央的钧天，东方的苍天，东北的变天，北方的玄天，西北的幽天，西方的昊天，西南的朱天，南方的炎天，东南的阳天。

③ 合乎天地：合乎天地合气之理。

④ 阴阳生化……合中五行：阴气与阳气互相作用，产生四象，再加上“中”就成为五行。

⑤ 五行之气……岂可胜竭：万物都含五行之气，哪里能够尽述？

⑥ 犹：犹如。

⑦ 合而谓修身：合演叫作修身。

⑧ 大者……缩身藏形：地方大的，可将飞九宫的步法运用在游身化影、缩身藏形之中。

⑨ 合一图路线……四十八势矣：后面的五法合一图所表示的只是初步的练法，若要往宽大里练，则在练到第十二节旋法时不要回身，接着往前练第一节左手飞法，到第二个旋法再回身往回练，则进退来回总共有四十八势。

⑩ 象形：象形术。

第一节　五法合一连珠——飞法：开始

无极，左足先向左斜[①]进步。两手同足进时，向里合劲，至手心朝上，一齐极力向前伸出。左手与左膝相顺，与肩相平，右手在左手腕下。手足、身法、劲意，仍与单习势同，目视前手心，谓之金力也。（图 38）

图 38　飞法开始一图

注 释

①左斜：左前方。

第二节　飞法：化身[1]

图 39　飞法化身二图

左足不动，右足前进；右手同足进时，顺左肱手腕外[2]，极力向前伸出[3]，手心向上，顺鼻平肩[4]；左手向里合，至手心向下，顺右肱往回拉劲，至右肘停住[5]，目视前手心。一、二图手法，要连贯一气为之[6]。（图 39）

注 释

① 化身：换势。

② 外：外侧。

③ 伸出：穿出。

④ 顺鼻平肩：与鼻对齐，沉肩垂肘。

⑤ 至右肘停住：至右肘处停住。

⑥ 要连贯一气为之：要一气呵成，不要中间停顿。

第三节　云法：化身

右足向右方斜进步①，左足稍动②。左右两手同足进时，向右横劲挺力③。俟④足着地时，阴阳⑤合劲，左手心朝上，前伸平乳，肱顺右膝；右手心朝下，在左肘，大指靠肘。两股相拗，目视左手心，谓之金生水。（图 40）

图 40　云法三图

注 释

① 右足向右方斜进步：右脚向右前方进步。

② 左足稍动：左脚微里扭。

③ 向右横劲挺力：向右后拉回。

④ 俟：等。

⑤ 阴阳：一阴一阳。

第四节　云法：化身

图 41　云法四图

右足不动，左足直向前进步。左右两手同足进时，拧劲相抱，极力向前扑出，手指稍扣力抓劲，两大指相对，手心朝下，与鼻相顺，平心口①。头顶，两肱曲伸②，两股曲弓③，腰挺起，臀坐力，④目注意大指中间平视。一、二云法，手足身法意，要连贯一气，不停为佳。（图 41）

注 释

① 与鼻相顺，平心口：在鼻正前，与心口相平。

② 两肱曲伸：两臂微弯。

③ 两股曲弓：两腿弯曲。

④ 腰挺起，臀坐力：腰挺住劲，臀部下坐。

第五节　摇法：化身

图 42　摇法五图

左右两足不动原势，双足同时提起往后退步。[1]两手同足退时，向左阴阳合劲捋力，[2]捋至右手朝上平乳，肘顺左膝[3]，左手心朝下，在右肘旁，相离四五寸，肱半弧形[4]。目向右前平视，谓之水生木。（图 42）

注 释

①左右两足……往后退步：两脚保持左脚在前右脚在后，往后退步，右脚先退，左脚跟退。

② 两手同足退时，向左阴阳合劲捋力：两手在右脚退步的同时，一阴一阳，互相协同配合，向左后下弧线捋採。

③ 肘顺左膝：右肘与左膝对在一个前后方向的竖直平面内。

④ 肱半弧形：臂呈半圆形。

第六节　摇法：化身

左足俟两足同退着地时不停[1]，随[2]往前进步，右足稍跟。左手同时顺右肱极力往前发出，手心朝下，平肩[3]；右手亦同时向里合劲，手心朝下回拉至左肘下，平心口，大指相靠肘[4]。两肱曲伸合抱[5]，目顺左手中指平视。（图 43）

图 43　摇法六图

注 释

① 不停：不停留。

② 随：随即，立即。

③ 平肩：高度与肩相平。

④ 大指相靠肘：大指靠左肘。

⑤ 两肱曲伸合抱：两臂微弯，两手合抱。

第七节　晃法：化身

左足不动，右足向左斜[1]进步。两手掌同足进时，向里合劲翻上[2]，如端物之意相送前伸[3]，高与鼻平；头顶，身挺，臀坐，目视两掌中间，谓之木生火。（图 44）

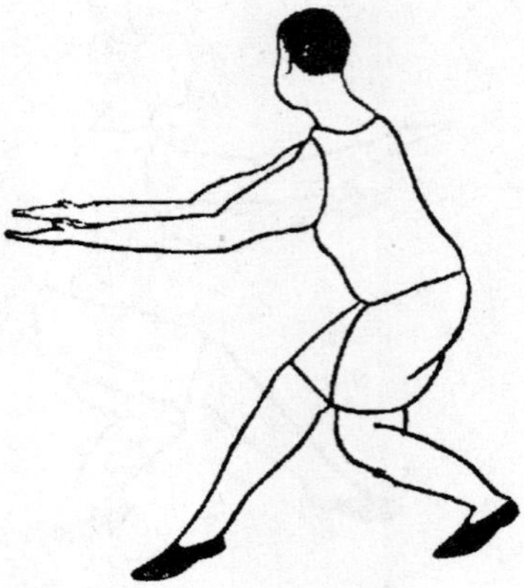

图44　晃法七图

注释

① 左斜：左前方。

② 翻上：翻成手心向上。

③ 相送前伸：往前送出。

第八节　晃法：化身

右足再向左方斜进步，左足随向左大进步着地。[①]两手端物之势不动，亦同足进时[②]向左摇肩晃身[③]，俟左足着地，猛将手掌向下翻劲平脐，如手中端物，翻抛击碎之意。身向上挺力，目向前平视。（图45）

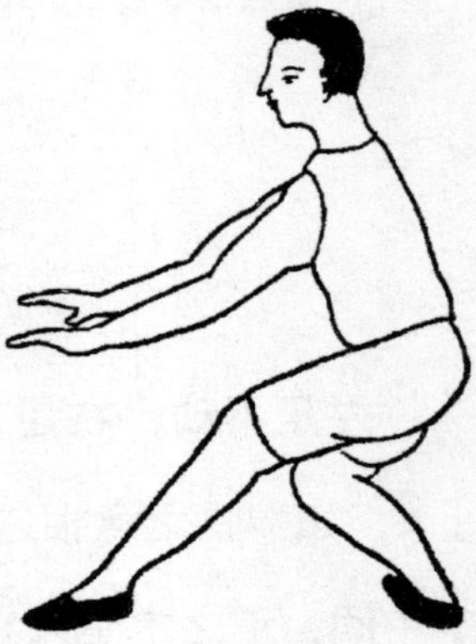

图45　晃法八图

注 释

① 右足再向左……大进步着地：先右脚向左前方进步，再左脚向右脚的左前方大进一步。

② 同足进时：于右脚进步的同时。

③ 向左摇肩晃身：随着肩身左旋，两手从右边走上半圆弧端送到左边。摇肩晃身，即摇晃肩身，肩身向左横向摇转。

第九节 旋法：化身

图46 旋法九图

左足不动，右手向里合劲，至手心朝上起蹭，手与顶齐，肱顺左肩；[1]左手向回拉劲，至胯，大指靠脐[2]；右足再向右斜[3]进步，右手俟足着地时，速向外扭劲，至极处[4]向下抓力，按劲下捋，[5]顺右膝肩[6]。两肱向里有抱力，两足蹬劲，目向右手平视，谓之火生土。（图46）

注 释

① 手与顶齐，肱顺左肩：手与头顶相齐，臂与左肩前后相顺。

② 大指靠脐：左手掌心向下，大指在里侧紧靠左胯。

③ 右斜：右前方。

④ 至极处：至手指朝左、肘朝右。

⑤ 向下抓力，按劲下捋：向下抓捋按。

⑥ 顺右膝肩：与右膝右肩对顺。

第十节　旋法：化身

右足不动，左手向里合劲，至手心朝上蹿起，肱顺右肩，手齐顶；右手微里合劲，下捋至右胯。左足向左斜进步着地，左手俟足着地时，速向外扭劲，至极点向下抓力，按劲下捋，顺左膝平肩①；两肱要开展抱力，足蹬劲，目顺左手平视。（图47）

图47　旋法十图

注释

① 顺左膝平肩：据第九节，这里应当是“顺左膝肩”，即“顺左膝左肩”。

第十一节　旋法：化身

右足仍向右斜进步，左右两手动作、劲力、神意，仍与旋法九节同，左足仍存原势。（图 48）

图 48　旋法十一图

第十二节　旋法：回身法

旋法回身与各法象不同，右足在前右转身，左足在前左转身[①]。转时，前足稍动[②]，后足向前足之外[③]回扣步，与前足成大斜八字势；左手同足扣时[④]，向里合劲，顺胸极力拧蹭上起，手心朝上，高与顶齐；右手亦同时向下抓力下捋，手掌至右胯停住；身拧[⑤]，头顶，股拗[⑥]，目向右肩平视，谓之旋法回身。（图 49）

图 49　旋法十二图

注 释

① 右足在前右转身，左足在前左转身：右足在前则右转身，左足在前则左转身。

② 前足稍动：前足稍微外摆。

③ 前足之外：前足之外侧。

④ 左手同足扣时：左手在左足回扣的同时。

⑤ 身拧：身向右拧。

⑥ 股拗：两腿拗住。

第十三节　飞法：化身

图 50　旋法回身化身飞法十三图

扣足不动（即左足），后足[①]随转身时[②]向前进步仍顺[③]。右手同足进时，向里合劲，至手心朝上齐胸，向前极力伸出[④]自极度[⑤]，高与肩平；左手亦同时向外扭劲，下捋至胸，极力同右手前伸，[⑥]手心朝上，至右肘下停住。目顺右手心前视，谓之土生金，仍与飞法开始相同。再演左手、左足进步化身，与二节飞法同。[⑦]回演仍接左手云法[⑧]，左右互相演习，依此法推。（图 50）

注释

① 后足：后右足。

② 随转身时：在转身后随即。

③ 向前进步仍顺：向前进步调顺。

④ 伸出：穿出。

⑤ 自极度：应为“至极度”。

⑥ 下捋至胸，极力同右手前伸：先下捋至胸，再极力与右手一起向前穿出。

⑦ 再演左手……飞法同：再练左手左足飞法。

⑧ 回演仍接左手云法：接着再往回练左手云法，与第三节云法相同。

象形拳法真诠下编（八象合卦）

绪言

窃考[1]伏羲画卦，取象而易成。[2]修道之士，演象以延寿。鹤能养神，鹿运尾闾，龟善纳气。[3]天性各赋，有延年之良能，而人不能，故先哲取义于法象也。灵空禅师，忝赞[4]三教真法，通明禅理，发明玄机，取象于数理，立体于卦象，[5]命名于道统，曰象形术。[6]外形[7]其象，内蕴其意。推演八象之化身，而炼心、炼性；悟三昧之窍奥[8]，而养气、修真。且八象之性灵，有三十二法象，亿万化身，只以[9]龙善变化，虎长三绝，猿神灵空，[10]吼狮威容，牛生蹠力，马练腹实，象通筋络，熊练丹田。是术，不为[11]而健身心，且又专工点穴[12]《点穴术》一书详细绘图，另付梓行世，其中有法、有则，尽理尽性。若能至诚不息，玩其象而悟其意，炼其性而养其神，效其良能，通其造化，可以易骨、易筋、洗髓，而益寿延年。若得其神妙，非口授心传，学者难得其要素。其象可以形容，其神实难笔述，孟子云："大而化之之谓圣，圣而不可知之之谓神"，[13]正是此义，善练者，玩索而得之，则终身用之不尽也。

注 释

① 窃考：（据）私下考证。窃，私，用作表示个人意见的谦辞。

② 伏羲画卦，取象而易成：伏羲画出八卦图，根据各种自然现象发明了易学。《周易·系辞下》：“古者包牺氏之王天下也，仰则观象于天，俯则观法于地，观鸟兽之文，与地之宜，近取诸身，远取诸物，于是始作八卦，以通神明之德，以类万物之情。”这里说的“包牺氏”就是“伏羲”。

③ 鹤能养神……龟善纳气：鹤能够蓄养它的神，鹿能运动尾闾，气通督脉，龟善于从鼻子吸气，打通任脉。

按：古时的修炼家认为：“鹿运尾闾，通其督脉；龟纳鼻息，通其任脉，故得延年益寿。”

④ 忝赞：发扬光大。忝，音 tiǎn，本为谦辞，辱，有愧于。赞，佐助，添加。

⑤ 通明禅理……立体于卦象：精通佛家的禅理，阐明道家的玄机，取象于儒家的易数易理，根据卦象建立本体。

⑥ 命名于道统，曰象形术：根据修道的传统来命名，叫作“象形术”。

⑦ 形：模拟，模仿。

⑧ 悟三昧之窍奥：领悟（三家学术）的精微奥妙。

⑨ 以：因为、由于。

⑩ 虎长三绝，猿神灵空：虎擅长三种绝技，猿神奇在灵妙空虚。

⑪ 不为：不勉强。

⑫ 专工点穴：专门精于点穴。

⑬ 孟子云……之谓神：“大”而能化育万物就叫作“圣”，“圣”到了妙不可知的境界就叫作“神”。《孟子·尽心下》：“浩生不害问曰：‘乐正子何人也?’孟子曰：‘善人也，信人也。’‘何谓善？何谓信?’曰：“可欲之谓善，有诸已之谓信，充实之谓美，充实而有光辉之谓大，大而化之之谓圣，圣而不可

知之之谓神。乐正子，二之中，四之下也。”

按：此段释文如下。

据私下考证，远古时三皇之首伏羲发明八卦符号，吸取天、地、雷、风、水、火、山、泽等八种形象从而形成易学。修道的人，演练各种动物形象来延长自己的寿命。鹤能够蓄养它的神；鹿会运动尾闾，打通督脉；龟善于深呼吸，打通任脉。造化赋予它们不同的天性，都具有延年益寿的良能，但是人没有，所以先哲把它们的特长吸取到各种法象中来。灵空禅师发扬光大儒、释、道三教的真法，精通释家的禅理，阐发道家的玄机，从儒家的易数易理中抽取形象，由八卦、六十四卦的卦象建立拳术的本体结构，根据自古以来修道的传统，把这种拳术称为“象形术”。外形动作模拟各种动物的形象，内心蕴含相应的意识。通过推求演练八象的拳势，来练心、练性；通过领悟三教的精微奥妙，来养气、修真。之所以能够由八象的灵性生出三十二种法象和亿万种拳势变化，只是因为龙善于变化，虎擅长三种绝技，猿神于空灵巧妙，吼狮具有威严的容貌，牛象能生出桩力，马象能使腹部坚实，象象能通筋络，熊象能练丹田。这种象形拳术，不加勉强却能强健身心，且又专门精于点穴，其中有方法、有原则，穷尽各种动物的天理和天性。若能够以至诚的心坚持不懈地练习，玩味其形象，领悟其真意，修炼其天性而蓄养其精神，效法其天然的良能，会通其天赋的特长，便可以易骨、易筋、洗髓，从而益寿延年。若要得到该拳术的神妙之处，非得经过口传心授，学习者难以掌握它的关键要领。它的外形动作可以形容出来，但它的精神实质实在难以笔述。孟子说：“大而化之之谓圣，圣而不可知之之谓神”，正是这个意思。关于学习的人，玩味求索而得到它，则有终身享用不完的好处。

先后天八卦合一图

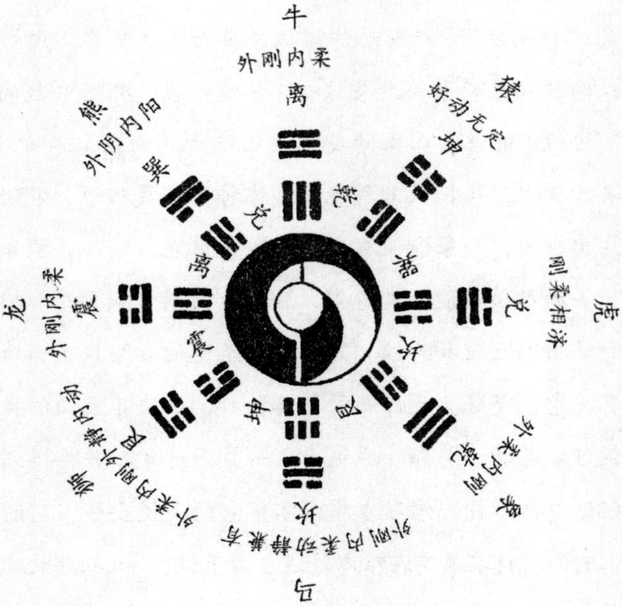

图 51　先后天八卦合一图

《易》云："两仪生四象，四象生八卦。"[1]更推演为六十四卦。参伍错综[2]，肇自太极[3]。太极者，先天之祖炁，天地之始，万物之祖，阴阳之母也。[4]阴阳之母，乃是五行八卦之蒂[5]。五行者，五法身也；八卦者，八法象形也，[6]亦即先天、后天、内卦、外卦，合而归一之道也。二者之分别，在后天能为先天之用，先天能为后天之体，性命双修，即在于此华佗五禽术论之最详。[7]无先天，则后天无根本；无后天，则先天不完全。本之为言根源也[8]。有先天之本，无后天之培养，则入于清静无为，枯禅寂坐，不能以全[9]其体。若欲先天健全，六阳纯正[10]，非借[11]后天有象之身，以行其有为生化之道即五法八象，不能补其先天真一之祖炁也。但功夫初练时，四体之作用，心不合意，意不合气，气不合力，力不合势，势不合象，凡此不合，虽有顺逆之分，要[12]皆由于先后天不合之故耳。以象形之理而言，分则谓之先天后天，合则谓之混元一炁。以先天言，五法八象无形之意外静内动之意，即身中无象之八卦也；以后天言，则四体动静、开阖伸缩，即有象之八卦也八象法身。然从此分，指先后两天而言也，若合先后天而言之，则曰“太极”。[13]太极者，天命之性也，秉于心者谓性，发于心者谓意。[14]意之所至，则四体百骸莫不听其指挥也。若欲练习合一之体，得其神化之道，故须[15]莫犯三害，九要、八论更不可失，依象形之规矩，次第运用而习之。久则若合符节[16]，得其神化之理，不难妙极神明，自然发挥，一至[17]火候纯青，刚柔相济，象无象，意无意，无意之中是真意，登峰造极，达其境矣。此八卦八象合一之解释，练功之要着，殆尽于此。[18]《中庸》云：“不见而章，不动而变，无为而成”，其所在斯乎！[19]苟学者至诚无息，心体力行，通其变，极其数，引而申之，触类而长之，则斯道之能事毕矣。[20]

注 释

①《易》云……生八卦：《周易》上说："两仪生四象，四象生八卦。"

按：《易·系辞上》："是故《易》有太极，是生两仪，两仪生四象，四象生八卦。"两仪：天地或阴阳。四象：春、夏、秋、冬四季或少阴、少阳、老阴、老阳。春为少阳，夏为老阳，秋为少阴，冬为老阴。八卦：乾、坤、震、巽、坎、离、艮、兑，象征天、地、雷、风、水、火、山、泽。两仪生四象：天地自转公转配合形成春、夏、秋、冬四时，或一阴一阳配合生成少阳（一阳一阴）、老阳（二阳）、少阴（一阴一阳）、老阴（二阴）。四象生八卦：四象再与一阴或一阳配合，就生成八种卦象。

② 参伍错综：（阴和阳）三三五五，互相参合。

③ 肇自太极：始息太极。肇，音 zhào，开创，肇始。

④ 太极者……阴阳之母也：太极，就是天地生成之前的祖炁，是天地的开始，万物的祖宗，阴阳的母体。

⑤ 阴阳之母，乃是五行八卦之蒂：是阴阳的母体，也就是五行、八卦的根蒂。乃，就。

⑥ 五行者……象形也：在象形术中，五行就是指五种法身，即飞、云、摇、晃、旋；八卦就是指八法象形，即龙象、虎象、马象、牛象、象象、狮象、熊象、猿象。

⑦ 二者之分别……即在于此：这两者的分别在于，后天能作为先天的运用，先天能作为后天的本体，先天之性与后天之命一起修炼的道理就在于此。

⑧ 本之为言根源也："本"的意思是"根源"。

⑨ 全：健全。

⑩ 六阳纯正：修炼家讲"进阳火"的功夫到最高境界时为"六阳生"，这时就叫作"六阳纯正"，也叫"六阳纯全"。

⑪ 非借：非得借助于。

⑫ 要：总要，总之。

⑬ 然从此分……则曰“太极”：然而这样划分，是按先后两天来说的，要是将先后天合起来讲，则叫作“太极”。

⑭ 太极者……发于心者谓意：太极，是天所赋予个人的本性，心可秉持的叫作性，从心里产生的叫作意。

⑮ 故须：当然须要。故，固然。

⑯ 若合符节：比喻先天的太极（性、意）与后天的五法、八象，两者完全印合。符节，符与节。符，古代朝廷传达命令或征调兵将用的凭证，双方各执一半，合起来以检验真假。节，古代使者所持的当作凭证的东西，如，苏武在匈奴十九年不失汉“节”。

⑰ 一至：一直到。

⑱ 练功之要着，殆尽于此：练功最主要的方法、原理，大概都写在这里了。着，音 zhāo，下棋落子叫着。殆，大概，恐怕。

⑲《中庸》云……所在斯乎：出自《中庸》，拳术功夫达到化境时，不刻意表现却能水平彰明，不刻意动作却能变化巧妙，顺其自然却能取得胜利。正与《中庸》里的话相合。见，音 xiàn，显示。章，彰明。天为，顺自然，不违反自然。

⑳ 苟学者……之能事毕矣：只要学习象形术的人能够以至诚的心，坚持不懈地去练习，用心去体会，努力去实行，弄通它的变化，精通它的原理，善于引申，触类旁通，那么这门拳术的能事也就尽了。苟，只要。心体，用心领悟。力行，努力实行。则，那么。斯道，这门拳术。毕，完毕，尽。

第一章　震卦龙象会真

☳震仰盂，震卦，雷象。[1]震得乾初阳，主生长，其性属阳木，故居正东木旺之方。[2]取诸身，在脏为肝，又为心，属离火[3]。象之于物为龙龙性阳，含真阴，《丹经》[4]云："龙从火里出[5]。"龙之为物，其动生云，云从龙。龙生六气[6]，在拳象之有六法：（一）降龙法谓龙象踡；（二）云龙虎显又谓游空[7]探爪；（三）龙飞万里又谓神龙闹海翻江；（四）神龙缩骨又谓抖甲[8]；（五）潜龙在渊，飞龙升天《易》云"在田在天[9]"；（六）神龙击地俗称劈雷击地。以龙之性灵言，神生目，威生爪，炁发丹田，劲起涌泉，刚柔曲伸，缠绕惊抖，隐现莫测。[10]动如云行[11]万里，势犹虎贲三千。与虎炁相接，一升，一降，互为循环，道家谓之水火相交，外刚内柔。其象合，心内虚空，清气上升，而邪火下降，三田[12]往返，关节通灵；其象谬，则气努，肝火旺，身被阴火焚烧，而心窍不能开矣。学者深思格物，勉力求其要义，以术延命。图解、步径列后（图52）。

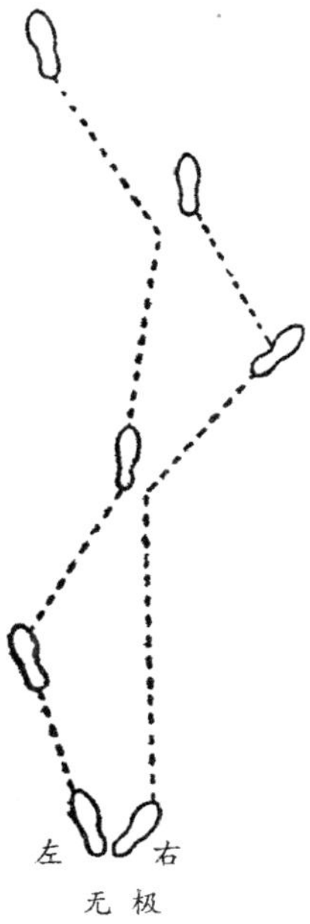

图52　龙象路线

法曰

震卦阳木五脏属肝

心为离火龙性起源古仙云：降住真龙丹可圆

龙生六气云龙虎显

神威生目炁发丹田

刚柔曲伸莫测隐显

关节通灵三田往返

心窍开朗道法真源

龙法心得性源永安[13]《丹经》云：心性源头参不透，空从旁路去寻真

注 释

① ☳震仰盂，震卦，雷象：震卦的符号“☳”就像一只口朝上的盂，震卦是雷象。

按：朱熹八卦符号记忆口诀：“乾三连，坤六断，震仰盂，艮覆碗，离中虚，坎中满，兑上缺，巽下断。”

② 震得乾初阳……木旺之方：震卦得了乾卦的初阳，主于生长，其性质属于阳木，所以位于正东木旺的方位。乾初阳，乾卦“☰”的最下面一根阳爻。其性属阳木。故居正东木旺之方，是说后天八卦，即“先后天八卦合一图”中的外图八卦。

按：八卦对应的五行属性为：坎—水，离—火，震—阳木，巽—阴木，乾—阳金，兑—阴金，艮—阳土，坤—阴土。

③ 属离火：这是指先天八卦，龙象对应的先天卦为离卦“☲”，其形外阳而内阴，象征人的心火含有真阴。

④《丹经》：这里指北宋张伯端的《悟真篇》。

⑤ 龙从火里出：指心火下降。

⑥ 龙生六气：不详。

⑦ 游空：游行于天空中。

⑧ 抖甲：抖动鳞甲。

⑨ 在田在天：即“见龙在田”“飞龙在天”。《周易·乾》：“九二：见龙在田，利见大人。”“九五：飞龙在天，利见大人。”

⑩ 神生目……隐现莫测：神生于目，威生于爪，炁发于丹田，劲起于涌泉，有刚有柔，能屈能伸，既善于缠绕，又善于惊抖，忽隐忽现，变化莫测。

⑪ 云行：在云中飞行。

⑫ 三田：即上、中、下三丹田。

⑬ 龙法心得性源永安：若将龙象的方法用心领悟得到，则能性源永安。心

得，得之于心。性源，即心。

第一节　降龙象：开始

无极[①]，先将左足向斜前[②]进步，足心悬起，指抓地。右足不动。左膝提劲，足腕挺力，[③]右膝跪劲[④]，两股曲弓[⑤]，两膝里扣，小腹放于两腿根上[⑥]，腰挺起[⑦]。两手同足进时，向里合劲，合至手心阴阳相对[⑧]，如捧重物相送之意，极力向前伸出[⑨]，伸至左手心朝下，高齐眉，与鼻相顺；右手心朝上，伸至左手腕下，相离五六寸，平喉；两肱曲伸抱撑[⑩]。肩肘松开，微要垂劲。[⑪]头劲顶起[⑫]，脊柱直竖，臀坐力[⑬]，怒目[⑭]视左手大指。练此势心内不用力，先要虚其心，听息下行[⑮]，至关节通灵时，再化右法象。[⑯]（图 53）

图 53　降龙法象一图

注释

① 无极：由无极势。

② 斜前：左前方。

③ 左膝提劲，足腕挺力：左膝微弯，向上提纵，左脚腕挺住劲。

④ 右膝跪劲：右膝向前下挤跪。

⑤ 两股曲弓：两腿弯曲。

⑥ 小腹放于两腿根上：臀部向前包回，两腹股沟微合，则能以“小腹放于

两腿根上”。

⑦ 腰挺起：腰挺而不提。

⑧ 阴阳相对：一阴一阳，手心相对。

⑨ 极力向前伸出：极力向前发出。

⑩ 两肱曲伸抱撑：两臂微弯，既有向里的合抱劲，又有向前的外撑劲。

⑪ 肩肘松开，微要垂劲：即沉肩垂肘。

⑫ 头劲顶起：顶头竖项。

⑬ 臀坐力：臀往下坐，但不可撅臀。

⑭ 怒目：张目怒视。

⑮ 听息下行：听任气息下行，即气沉丹田。

⑯ 至关节通灵时，再化右法象：这一姿势站着不动，到感觉各关节打通时，再变为下一节动作。

第二节　降龙象：右化象

左足先向右斜进步[①]，右足随同向前大进步[②]；左右两手心相对不拳回[③]，同足进时[④]，向右阴阳合劲，扭力前伸。[⑤]右手心朝下，伸至高齐眉，与鼻相对；左手心朝上，仍在右手腕下，离五六寸，平喉。手足身法意，与开始相同，[⑥]怒目视右手大指，停住。学者练此左右二象，宜慢不宜速，一势要站五六分钟工夫，左右化象，皆依此法，故谓之降龙踮（图 54）。龙象各身法，皆用此法开始，书此二图，以备学者单习。若演缩骨抖甲，仍归开始一图为之。[⑦]

图 54　降龙法象二图

注　释

① 左足先向右斜进步：左脚先向右前方垫步。

② 右足随同向前大进步：再右脚大进一步到左脚的右前方。

③ 左右两手相对不拳回：左右两手保持手心相对，不收回。

④ 同足进时：于进步的同时。

⑤ 向右阴阳合劲，扭力前伸：随着左脚垫进，在身前顺时针（由练者看）横扭成右手在上、左手在下；再随着右脚进步，极力向前发出。

⑥ 手足身法意，与开始相同：手法、足法、身法及心意，与上一节“降龙象开始”相同，唯左右相反。

⑦ 若演缩骨抖甲，仍归开始一图为之：若要练习下两节“缩骨抖甲”，则仍要练到第一节的“图 53 降龙法象一图”时再往下接。

第三节　龙象：化象[1]

降龙一图[2]，左足往右足前斜[3]进步，足尖斜横向外[4]；两肱不拳回[5]，左手同时再往里扭劲[6]至极处，手心向上，蹿过顶[7]，抱头；右手往下合抱伸力[8]，掌心朝内，顺左胯，齐胁，两肱合抱劲。形势右肩左膝，两股相拗。[9]头顶，身拧[10]，骨缩[11]，腹在腿根上[12]。气沉丹田，怒目，顺右肩上视[13]，谓之神龙缩骨。（图 55）

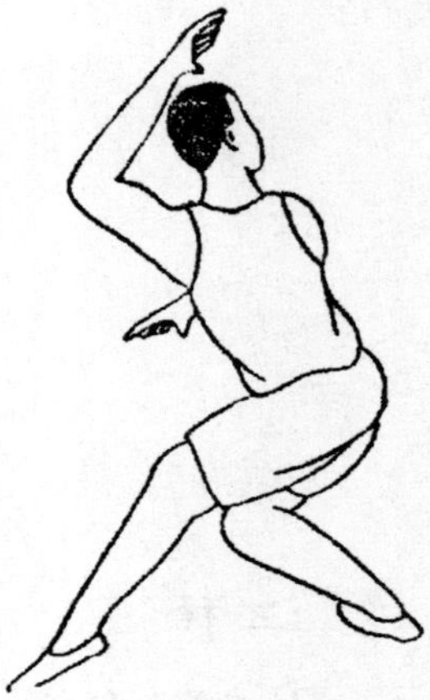

图 55　神龙右缩骨一图

注 释

① 化象：此节为龙象变势。

② 降龙一图：由“图 53 降龙法象一图”开始。

③ 右足前斜：右脚的右前方。

④ 足尖斜横向外：足尖外撇约 45 度。

⑤ 两肱不拳回：两臂不收回。拳，蜷曲。

⑥ 往里扭劲：（左手臂）外旋。

⑦ 蹿过顶：钻过头顶。

⑧ 右手往下合抱伸力：右手插到左腋下。

⑨ 形势右肩左膝，两股相拗：形成右肩左膝在前，两腿相拗的结构。

⑩ 身拧：身向左拧。

⑪ 骨缩：缩身。

⑫ 腹在腿根上：腹在左腿根上。

⑬ 上视：往上看。

第四节 龙象：化象

图56 神龙右抖甲二图

左足不动，右足往前进步[①]；右手同足进时，极力猛向外，往上翻力抖劲[②]，抖至手半朝前[③]，高齐顶，与膝足相顺[④]；左手亦同时向里合，抓劲，往下捋至手心朝下平脐，相离七八寸。[⑤]头顶，身挺，臀坐，尾摇，晃身[⑥]，怒目视右手虎口。（图56）

注释

① 右足往前进步：右脚大进一步到左脚前。

② 右手同……翻力抖劲：于右脚进步的同时，右手臂猛力向右上方抖挑而出。

③ 手半朝前：右手心半朝前、半朝左。

④ 与膝足相顺：与右膝、右足相顺。

⑤ 左手亦同时……相离七八寸：左手也同时向中合抱，往下抓捋至肚脐前七八寸处，掌心朝下。

⑥ 尾摇、晃身：这是说本节的发力要用尾闾的抖劲和腰身的拧劲。

第五节　龙象：化象

图 57　神龙左缩骨三图

左足不动，右足斜横往左斜进步；两肱不拳回，右手同足进时，向里扭劲至极处，手掌上起过顶抱头；左手往下合抱伸力，顺右胯，齐胁。形势，劲力，两肱合抱，左肩右膝，两股相拗，头顶，身拧，骨缩，腹在腿根上，丹田沉气，怒目顺左肩上视，手足身法意，与右一图同[①]。（图 57）

注 释

① 与右一图同：与“图 55 神龙右缩骨一图”相同。

按：本节各项动作要领都与第三节完全相同，只不过左右相反。

第六节　龙象：化象

抖甲：手足、身法、劲力、神意，与右二抖甲图[①]同。

再演，缩骨、抖甲，仍同前，惟练习缩骨、抖甲二势，要一气呵成，方得其真意。（图 58）

图58　神龙左抖甲四图

注释

① 右二抖甲图："图56 神龙右抖甲二图"。

第七节　龙象：化象[1]

右足在前，左转身；左足在前，右转身。[2]（右转回身法）右足稍动[3]，左足向右回扣进步[4]与右足成大八字势。两肱同时合抱力，左肱不拳回，向里合劲，合至手心半朝上，过顶抱头；右手亦向里合抱力，至手心半朝内[5]，在左胁相离六七寸。形势右肩左膝，两肱曲抱，两股曲拗，[6]头顶，身拧，骨缩，气沉，腹在腿根，目顺右肩平视。再回演，手足身法意，均与前化象同，左右回身，皆依此推，收势原地[7]休息。（图59、图60）

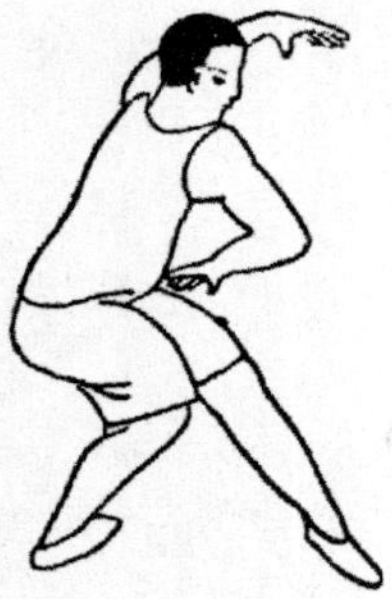

图59　神龙右转回身缩骨五图

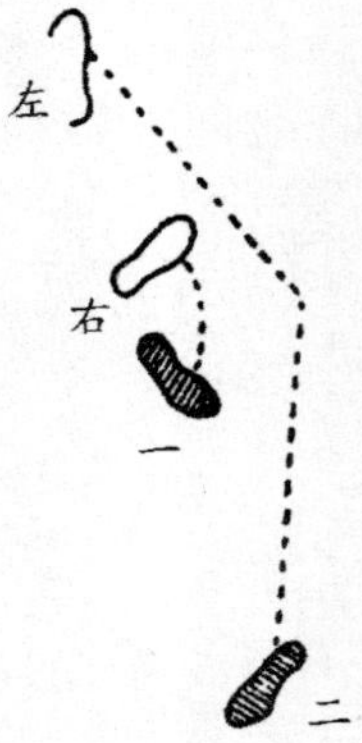

图60

注 释

① 此节为龙象回身法。

② 右足在前……右转身：右足在前则左转身，左足在前则右转身。

③ 右足稍动：右脚微外摆。

④ 左足向右回扣进步：看回身路线图。这里的进步是指转身后的进步。

⑤ 手心半朝内：右手心半朝内、半朝下。

⑥ 两肱曲抱，两股曲拗：两臂弯曲相抱，两腿弯曲相拗。

⑦ 收势原地：收势于原出发地。即往回练到起势的地点时回身，才打出缩骨、抖甲，收势。

第二章　兑卦虎象会真

☱兑上缺，兑卦，泽象，得坤末阴，主消化，其性属金，故居正西金旺之方。[1]取诸身[2]，在脏为肺，属阳明燥金之气，又为肾，属坎水。形之于象，为虎虎性阴含真阳。《道经》[3]云："虎向水中生[4]"。虎之为物，动则御风[5]，风从虎。虎炁六法，以拳象之有六势：（一）伏虎法又名虎桩；（二）猛虎出林；（三）猛虎摇首搏食又名翻蹚攫食；（四）猛虎奔坡内藏爬心剖食[6]，又名怒虎惊哨；（五）猛虎摇首摆尾又名虎坐抖威，又名单爪搏食；（六）猛虎搜山又名摇首返身。以性情言之，虎性灵[7]，精壮有生气，劲力起于臀尾名督脉穴。头顶，爪抓，周身鼓荡，意相搏击[8]，精炁摧身，神发威严[9]神、气、精、意、目、力也，进退猛烈，横冲竖撞，浩气勃勃，呼啸叱咤，谷应山摇，[10]像犹虎贲三千，气若龙飞万里，[11]与龙法之炁，联属升降[12]，《丹经》谓之水火既济演龙虎二法，非精神圆满、内炁充足，不能得其要素。形容于拳法，刚柔相济。法象顺，则督脉通。督脉为百脉之源，仙佛成道之途径。督脉一通，百脉皆通，则肺金气合[13]，先天炁足，习久自臻[14]上乘；法象逆，则肺金气努，而百脉亦因之不贯通，诸化象亦无法身矣[15]。学者苟[16]细心默悟，不难得龙、虎二炁之要素，以健身心，而性命双修焉。图解、步径列后（图61）。

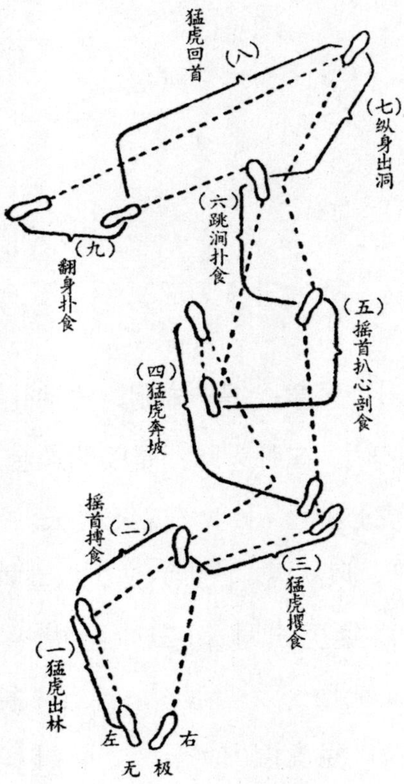

图61　虎象合法路线

法曰

兑虎命根五脏属金　　动则脚风猛虎出林《丹经》云：伏住真虎命永固

灵气贯顶鼓荡周身　　象取于拳神气摧人

劲起臀尾动生风云[17]　　吼吼谷应勃勃精神

虎贲三千威力逼人　　虎法心悟立即成真

注释

① ☱兑上缺……金旺之方：兑卦的符号☱是最上面有一个缺口，兑卦代表泽的形象，兑卦得了坤卦的最末一根阴爻，主于消化，其五行属性为金性（阴金），所以位于正西金旺的方位。

② 取诸身：取之于身。诸：之于。即将兑卦的卦象运用在身内。

③《道经》：这里指北宋张伯端（号紫阳真人）的《悟真篇》。

④ 虎向水中生：指肾中清气上升。

⑤ 御风：乘风，这里指虎行动时带着一股风。

⑥ 爬心剖食：当为"扒心剖食"。

⑦ 虎性灵：虎天性灵敏。

⑧ 意相搏击：有搏击之意。

⑨ 神发威严：眼中发出威严的神光。

⑩ 呼啸叱咤，谷应山摇：虎的吼声，在谷中产生回响，山也似乎被震得摇动起来。

⑪ 像犹虎贲三千，气若龙飞万里：其追击猎物的形象就像是三千勇士，其浩气就像龙一口气能飞一万里。

⑫ 联属升降：互相连接，一升一降。属，音 zhǔ，连接。

⑬ 肺金气合：即肺气和。肺金，即肺，因肺在五行属金，故称为"肺金"。合，和。

⑭ 臻：至，达到。

⑮ 诸化象亦无法身矣：（虎象的）各种化象也都没有法身了，即：虎象的各拳势都不合规范了。

⑯ 苟：如果，假如。

⑰ 动生风云：动则产生风云。

第一节　虎象：开始

无极[①]，右足不动，左足向左前[②]进步；两手同足进时，掌心朝下，猛向前平胸扑出。手要有摧、搓、抓按劲力。两大指相对，平心口，与鼻相顺。两肱曲伸抱撑[③]，肩窝吐气[④]，意达指心[⑤]。身腰挺劲，两股形曲，足指抓地，臀坐摇尾[⑥]。头顶，怒目，眼顺两大指中间前视，谓之出林。（图 62）

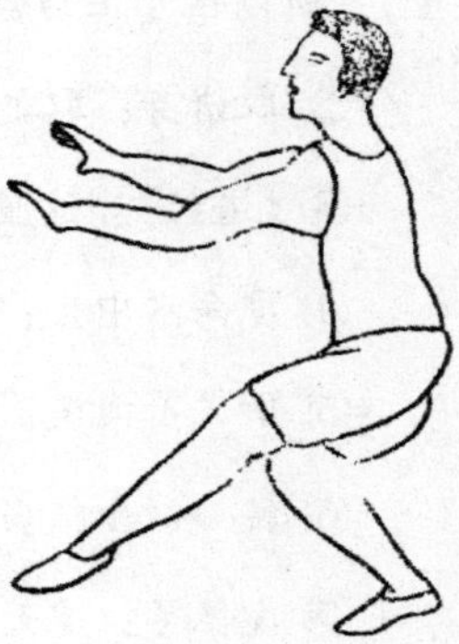

图 62　猛虎出林一图

注　释

① 无极：由无极势。

② 左前：左前方。

③ 两肱曲伸抱撑：两臂微弯，既有向中的合抱劲，又有向前的外撑劲。曲伸，伸而微曲，即“微弯”。

④ 肩窝吐气：肩窝吐劲。

按：这就是松沉，腰催肩，肩催肘，肘催手，也就是《内功经》说的“松肩以出劲”。

⑤ 意达指心：意达手指和手心。

⑥ 臀坐摇尾：臀往下坐，尾闾向左抖转。

第二节　虎象：化象

图63　摇首搏食二图

左足向右斜横进步①。两手不拳回②，掌心仍朝下虎象之手心朝下，演法身永不朝上，同足进时③，向右摇肩晃肱④，手往上起，至平顶，向下斜扑出，扑至两手平心口。⑤身腰有拧、缩、伏力⑥，右手肘顺左膝⑦，向前曲伸⑧，左手在右手腕后。两肱曲伸，两股剪子股势⑨，怒目顺右手背前视⑩，谓之搏食。（图63）

注 释

① 左足向右斜横进步：左脚向右前方向横迈一步。

② 两手不拳回：两手不屈曲，保持原掌型。

③ 同足进时：于左足横迈的同时。

④ 向右摇肩晃肱：以肩为轴，向右顺时针横摇两臂。

⑤ 手往上起……两手平心口：两手往上摆起，至与头顶齐时向前下扑出，扑至两手与心口相平。下斜，前下方。

⑥ 身腰有拧、缩、伏力：腰身向右拧、向后缩、向下伏。

⑦ 右手肘顺左膝：右肘与左膝相顺。

⑧ 向前曲伸：向前微弯着扑出。

⑨ 两股剪子股势：两腿相拗，成“剪子股”势。

⑩ 前视：往前看。

第三节　虎象：化象

左足不动，右足随[①]往前[②]大进步着地。左右两手俟右足着地时，极力猛向前推出。两肱曲伸撑抱，肩要松开，掌平朝前[③]，有摧、搓、抓、按劲力。头欲冲人，足欲踏人，气欲催人，神欲逼人，威猛迫人。怒目顺两手中间前视。（图 64）

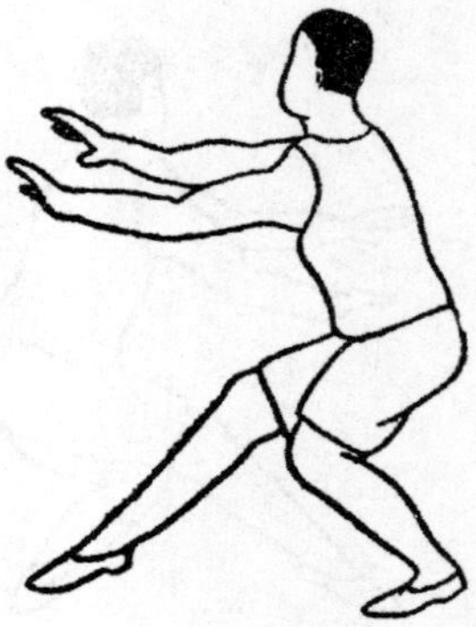

图 64　猛虎伏身攫食三图

注释

① 随：随后，随即。

② 前：这里的“前”就是开始时的“右”，见图 61 虎象合法路线。

③ 掌平朝前：掌平着朝前，即掌不要立起来。

第四节　虎象：化象

图 65　猛虎摇首奔坡四图

右足稍进[①]，右手不拳回[②]，掌心向左平合，合至平顺左肩。[③]左足随向前进步着地[④]，左手亦同时顺右肱向前推出，平心口；[⑤]右手俟左足着地时，手心合下，向后回拉至左肘下、脐上。[⑥]两足蹬劲，头顶，腰挺，怒目顺左手背前视。（图 65）

注 释

① 右足稍进：右脚稍向前左垫进（见图61 虎象合法路线）。

② 右手不拳回：右手掌型不变。

③ 掌心向左平合，合至平顺左肩：（于右脚垫进同时，）右手掌心向左，平着合掩至左肩前。

④ 左足随向前进步着地：左脚随即向左前方进步。

⑤ 左手亦同时……平心口：左手随着左脚进步，顺着右臂向前推出，与心口相平。

⑥ 右手俟左足……回拉至左肘下、脐上：右手也在左脚进步的同时，手心合至朝下（刚提向左），从左手下边往回拉至左肘的下面、肚脐的上面。

按：此势左推右拉，类似于形意拳的势拳。

第五节 虎象：化象[1]

图66 摇首扒心剖食五图

两足同时提起换步，右足向右进步，左足向后稍退步，两足成斜丁势。两肱不拳回，右手心朝下，同足换步时，顺左肱向前伸开至极处，用抓劲、下按力，高与心口相平，足尖鼻尖相顺；左手亦同时抓力、撕劲，回捋至右肘旁平脐。两肱曲伸撑抱，足指抓地，挺颈，臀坐，胯坠，尾摇，晃身，抖肩，怒目顺右手背前视。（图66）

注 释

① 化象：本势名为“摇首扒心剖食”，其动作似应为跳换步。由上势，左脚在左前，右脚在右后，两脚蹬地跳起，左脚稍往后退落，右脚往左脚右前进落。同时，右手顺着左臂往前抓按，左手往回捋踩。（参看图 61 虎象合法路线）

第六节　虎象：化象

右足不动，左足斜横向前进步[1]；左右两手同足进时，齐往前伸出至极处，高平脐，右手稍向前，左手在右手腕下，两肱曲伸。[2]腿剪子股势[3]，身腰伏劲，臀向后坐力，腹放腿根上，[4]气沉丹田，怒目顺右手背前视[5]。（图 67）

图 67　跳涧扑食六图

注 释

① 左足斜横向前进步：左脚进到右脚前，外横着落地。

② 左右两手……两肱曲伸：左右两手在左脚进步的同时，一齐往前发出，高与肚脐相平，右手稍靠前，左手在右手腕下面，两臂微弯。

③ 腿剪子股势：两腿成拗步剪子股势。

④ 身腰伏劲……腹放腿根上：身腰往下伏，臀向后坐，小腹放在腿根上。

⑤ 怒目顺右手背前视：张目顺着右手背向前怒视。

第七节　虎象：化象

左足不动，右足向前进步[①]。左右两手同足进时，向怀中搂劲至肘对脐，不停，仍极力猛向前抖劲扑出，掌出平心口，大指相对。[②]头顶，足蹬，摇首，怒目，坐胯，挺膝，目顺大指中间前视。（图68）

图68　猛虎纵身出洞七图

注释

① 右足向前进步：右脚向右前方进步。

② 左右两手……大指相对：左右两手在进步的同时，先向怀中搂回至肘对肚脐，再立即向右前方扑出，要打出抖劲，两掌与心口相平，大拇指相对。

第八节　虎象：化象

左足在前，右回身；右足在前，左回身。[①]回身时，前足微动[②]，后足向后退进步[③]。左右两手不拳回，向前仍存原势[④]。身腰伏力，头顶，往回后扭劲，[⑤]神意：怒目顺后腿向前远视。（图69）

图69　猛虎伏身回首八图

注 释

① 左足在前……左回身：左足在前则右回身，右足在前则左回身。

② 前足微动：前脚微里扣。

③ 后足向后退进步：左脚提起，随左转身向左后方进步，摆落。

④ 左右两手不拳回，向前仍存原势：左右两手不屈回，仍向着原来的前方保持原样。

⑤ 头顶，往回后扭劲：头顶住劲，扭向左后方。

第九节　虎象：化象

左足不动，右足向前①大进步。左右两手朝下②，随足进时，向左一同横劲斜行扑出③，左手稍向前伸④，右手在左手腕下，两肱曲伸⑤。腿似剪子股势，身腰下伏，腹在腿根，臀部后坐，头顶，怒目，眼顺左手背前视。再进步化象，劲力、神意、手、足、法、身均与猛虎出林一图同。左右化象互相联络，⑥演之均同，数勿拘。推演此合法⑦须连贯，一气呵成，不可中间断意。收势无极⑧，休息。（图70）

图70　回首返身搏食九图

注 释

① 前：这是回身后的“前”，也就是回身前的“左后”。（见图61 虎象合法路线）

② 两手朝下：两手心朝下。

③ 向左一同横劲斜行扑出：向左一齐横着斜向扑出，即先向左横扫搂回，再扑出。

按：这里的：“左”是对自身而言（见图69 猛虎伏身回首八图），实际就是转身后的“前”，转身前的“左后”（见图61 虎象合法路线）。

④ 左手稍向前伸：左手稍靠前。

⑤ 两肱曲伸：两臂微弯。

⑥ 左右化象互相联络：左右化象，一左一右，互相连接。

⑦ 此合法：指这一套完整的虎象合演套路。

⑧ 收势无极：收势于无极势。

第三章　坎卦马象会真

☵坎卦，水象。坎，“陷”也，[1]坎得坤中阳，阳陷阴生，阳入而生潮，故有“坎中满”之象。[2]取诸身内则为意，意出心源，故《道经》名意马。[3]意属脾为土，土生万物，而意通变万象[4]。以性情言，谓之心猿；以象形言，谓之马象。马是离宫火畜，而居于坎位，[5]坎属水，故有坎离相交，水火既济之功。法象于拳用言[6]，有龙之天性，有抖毛之威、跡蹄[7]之功、撞山跳涧之勇。外刚内柔，具有丹田炁满之能力，中心虚空之妙象。[8]其法象和，心中虚灵，丹田炁足，阴火消减，而清气上升；法象不和，则肾水虚弱，先天失调，心中邪火不降，反为阴邪所侵，各疾因此而生。学者最宜细心研究，得其妙道，而体健身轻。图解、步径列后（图71）。

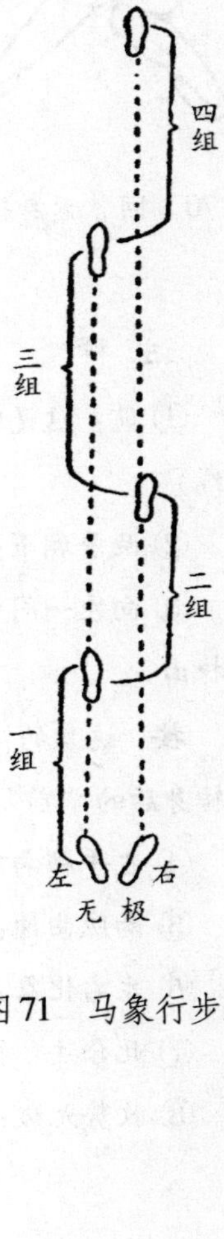

图71　马象行步路线

法曰

坎中水满意生心源　脾为后天肾为先天

意马心猿坎位中安　法象于拳抖毛跳涧

刚柔兼并炁满丹田　心中虚灵身轻体健

水火既济性命双炼　得其妙道于佛有缘

注释

① 坎，“陷”也：坎是“陷”的意思。

② 坎得坤中阳……“坎中满”之象：坎卦☵是由坤卦☷得了乾卦☰的中间一根阳爻而生成的，阳陷则阴生，阳入于阴而生潮气，所以具有“坎中满”的形式。

按：坎得坤中阳，应为“坎得乾中阳”。

③ 意出心源，故《道经》名意马：意是由心源产生的，所以《道经》里称为“意马”。

④ 意通变万象：意能反映和推演万事万物。

⑤ 马是离宫火畜，而居于坎位：马是离宫中的火性牲畜，而且住在离宫中的坎卦位置。（见图51先后天八卦合一图，正北为离宫）

⑥ 法象于拳用言：马象在拳法的运用上来说。

⑦ 跡蹄：在对方身上留下蹄印。跡，同“迹”。

⑧ 具有丹田……虚空之妙象：即虚胸实腹，气沉丹田，腹极实而胸极虚。

第一节　马象：开始

无极[1]，两足立正，面微仰（练此象先宜调息），从鼻中吸气，绵绵不断，一直吸入丹田，微停[2]谓之后天深吸机。此时两股下曲[3]，左足直向前进步，左右两手同足进时，掌心半朝下[4]，指分开[5]，平小腹一齐极力猛向前伸[6]，伸至与心口相平，两大指相对；吸机之气，俟手足前进发出时，一同呼出（呼机）。两肱曲伸，右膝下跪力，左膝提劲，[7]足蹬力，腹在腿根，臀部下坐，头顶劲，目顺两掌中间前视。（图72）

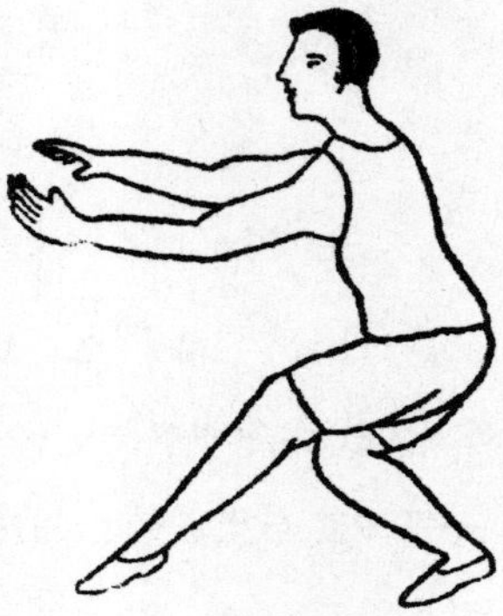

图72　马象吸呼二机一图

注 释

① 无极：由无极势。

② 停：停息，定息。

③ 两股下曲：两腿弯曲下蹲。

④ 掌心半朝下：掌心半朝下、半朝里。

⑤ 指分开：五指分开。

⑥ 平小腹一齐极力猛向前伸：从小腹一齐猛力向前发出。

⑦ 两肱曲伸……左膝提劲：两臂微弯，右膝往前下挤，左膝往上提纵。

第二节　马象：化象

图 73　马象吸机二图

左右两足不动，两手心朝里合，向怀中抱劲，抱至脐腹，[①]两手大指、食指、中指相对成△象形，[②]两肱肘成阴阳鱼象◈[③]，鼻子亦同时绵绵不断，向丹田内吸气，头上顶，腰身上挺；两股内意似伸非伸[④]，足指蹬力，目向前平视，谓之坎中满（后天吸机）。（图 73）

注 释

① 两手心朝里合……抱至脐腹：两手心向中合扣，并向怀中持抱至肚脐处。

② 两手大指、食指、中指相对成△象形：两手大拇指、食指、中指相对，构成三角形样子。

按：这是从上俯视的形象。

③ 两肱肘成阴阳鱼象◈：两臂肘及躯干构成一个阴阳鱼的形象。

按：这是从对面看的形象。

④ 两股内意似伸非伸：两腿里的意思似伸非伸、似曲非曲。

第三节 马象：化象

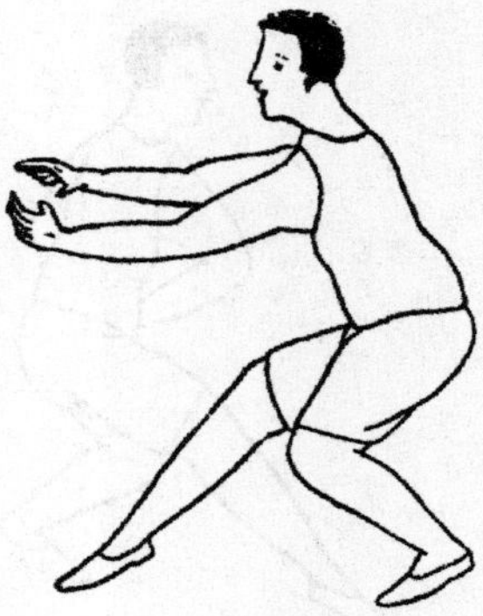

图 74 马象吸机三图

左足不进，右足向前直进步。左右两手同足进时，手心半朝下，从脐向前极力猛劲发出平心口，吸机之气，从丹田亦同时呼出。手足身法意，与一节一图同。向前接演，吸机手向回合抱，呼机手向外发出，数勿拘，自便。（图 74）

第四节 马象：化象

左足在前，右转身，右足在前，左转身。（右转回身法）左足向右足傍[1]进步，回扣成大斜八字，右足随提起并立[2]，足尖着地；左右两手，同时亦向怀中合抱，掌心至脐，大指、食指、中指相对，两肱仍阴阳鱼象，气亦同时吸至丹田，头顶，身挺，股曲，目向前平视。回演，吸机手合抱，呼机手伸出，左右回身均同。[3]练此法象，宜静不宜动，总宜深呼吸为佳，久练百日纯工[4]，则丹田气足而坚凝，腹硬如石，有不思议之妙趣，《老子》云："身轻腹实"，正是此意也。以

后手足动作，皆依法规为之，收势原地。（图 75、图 76）

图 75　马象回身四图

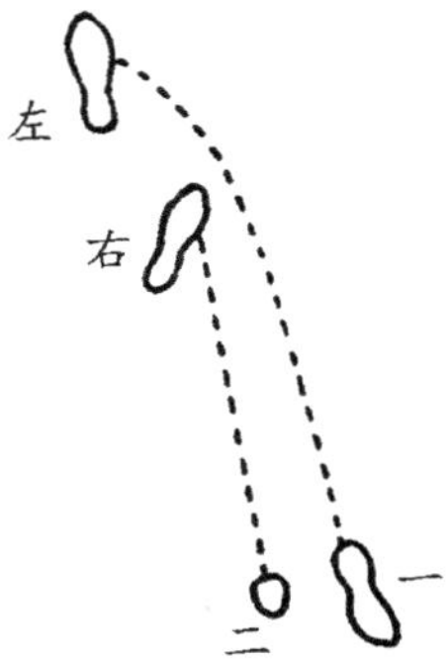

图 76

注 释

① 右足傍：右脚外边。

② 右足随提起并立：右脚随即提跟，与左脚成并步。

③ 回演……左右回身均同：往回演练时，仍是吸机时两手合抱，呼机时两手发出，左转回身和右转回身都是如此。

④ 百日纯工：百日纯功。

第四章　离卦牛象会真

☲离中虚，离卦，火象，为阴中阳[1]，阴借阳生明，故居正南火旺之方。[2]取诸身为性，性定为禅，性动为机。又为心，心中有虚空之象。象取于物则为牛象。牛之为物，秉土气而生，有九宫之称，有火土合德之义。[3]象形于拳，外刚内柔，两足能栽根，性有挺颈之力挺颈精神贯顶，有摆角之威骨骼生锋芒，有厮斗之勇。与猛虎相搏，而其肘，且具有按点之术。[4]其法象顺，则心中虚灵，抑心火，滋肾水，通任开督，真精化炁，流通百脉，灌溉三田，驱逐一身之阴邪，涤荡百脉之浊秽；其象逆，则心窍不开，脾衰胃满，五脏失调，而象内神化[5]不能得。学者精力[6]做去，以开心中灵窍，而得神化之妙道，图解、步径列后（图77）。

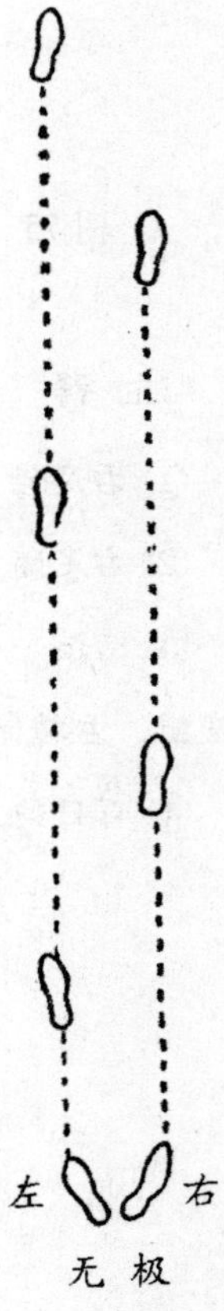

图77　牛象行步路线

步径谓之半骑马势

法曰

动则为机禅定为性　心生虚灵道谓空空

通任开督化炁真精　流通百脉灌溉三宫⑦黄庭、土釜、泥丸

象形于拳摆角挺颈　猛虎相搏欺⑧斗之勇

肘有按点步行九宫　精力做去神化自生

注释

① 阴中阳：当为“阳中阴”。

② 阴借阳生明，故居正南火旺之方：阴借助于阳产生光明，所以离卦牛象居住在正南方火旺之地。

③ 牛之为物……合德之义：牛作为一种动物，是禀受了土气而生成的，有行走九宫的说法，有火土合德的含义。火土合德：在八卦属火，在五行属土。

④ 与猛虎相搏……按点之术：在与猛虎搏斗时，它的肘部还具有按点的打法。

⑤ 神化：神妙变化。

⑥ 精力：精心努力。

⑦ 灌溉三宫：即“灌溉三田”。上丹田：泥丸宫；中丹田：黄庭宫；下丹田：土釜宫。

⑧ 欺：原文“欺”误，当为“厮”。

第一节 牛象：开始

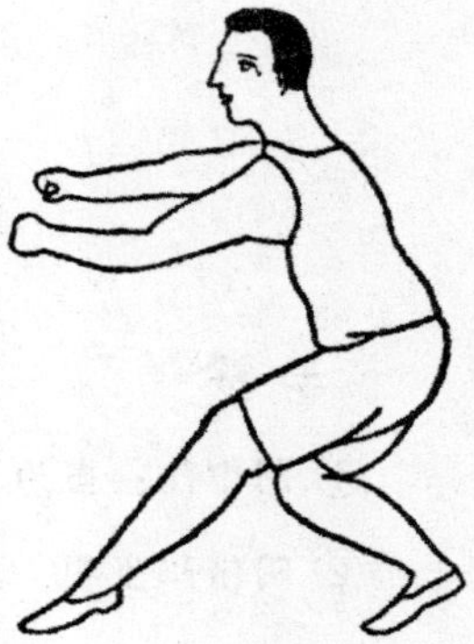
图 78 牛象开始一图

无极[①]，右足不动，左足向前进步。左右两手，同时[②]攥拳，掌心向下[③]，一齐从小腹，分张伸开平肩[④]，手背向上，虎口相对，离八九寸[⑤]。两肱合抱，肘向外扭；[⑥]两股曲弓，足半骑马势。[⑦]臀部下坐，与两膝盖平行线稍高[⑧]。头顶，身挺，胯坠，气沉丹田，瞪目向前平视。久练此象，足下能生千斤力。（图 78）

注 释

① 无极：由无极势。

② 同时：于进步同时。

③ 掌心向下：拳心向下

④ 分张伸开平肩：分开向前打出，与肩相平。

⑤ 离八九寸：两虎口相距八九寸远。

⑥ 两肱合抱，肘向外扭：两臂相合抱劲，两肘向外扭横。

⑦ 两股曲弓，足半骑马势：两腿弯曲，两脚跨成半骑马势。

⑧ 与两膝盖平行线稍高：略高于膝盖。

第二节　牛象：化象

左足不动，右足半骑马势向前进步[①]。两肱、两手不拳回，仍存原势，[②]同足进时，摇肩、晃身、手、足、身、法、意，与一图同。左右互相化象进步，皆依此推，数勿拘。（图 79）

图 79　牛象化象二图

注 释

① 右足半骑马势向前进步：右脚跨成半骑马势向左脚前进步。

② 两肱、两手不拳回，仍存原势：两臂、两手不屈回，仍保持原样。

第三节　牛象：化象

左足在前，右转身，右足在前，左转身。（右转回身法）左足往右足后进步[①]，扣成大斜“八”字势[②]。左右两手原势不拳回。右手拳随转身时，向里拧肘[3]，拧至顺乳[4]，拳心朝上；左拳亦拧至平肩[5]，两拳心相对。身腰向右拧劲，目顺右肩平视，谓之駹牛摆角[6]。再回演，两手两足，仍归原象，左右回身法均同。收势归原地休息。（图 80、图 81）

图 80　牛象回身摆角三图

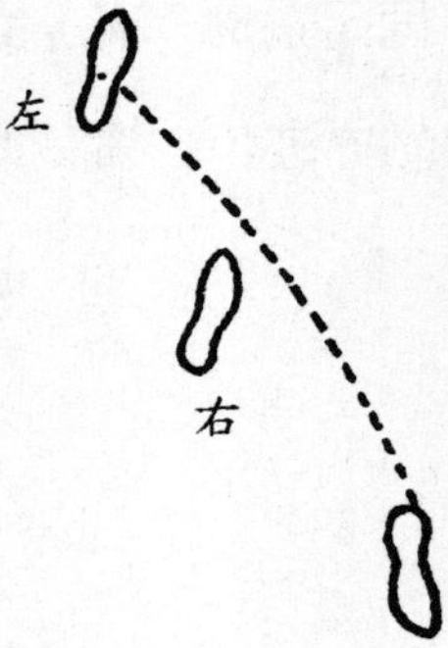

图 81

注 释

① 左足往右足后进步：左脚随着右转身往右脚的右后方回进步。（见图 81）

② 扣成大斜“八”字势：见图 80。

③ 向里拧肘：右小臂外旋，右肘向里拧合。

④ 拧至顺乳：拧至右肘在右乳前，与右乳相顺。

⑤ 左拳亦拧至平肩：左拳臂也拧至与肩相平。

⑥ 谓之駹牛摆角：叫作駹牛摆角。駹，音 máng。

按：本势两拳臂形成一个牛歪头摆角的形象，故名。

第五章　乾卦象象会真

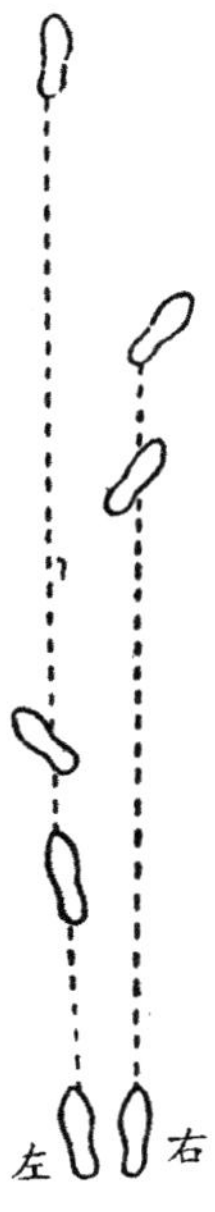

图 82　象形进步路线

☰乾三连[1]，乾卦，天象，乾阳之性也，三爻相连，其性属金。[2]以象体言，谓之天；以性情言，谓之乾；以其不能生育万物，故退居西北阳弱之方。[3]其象于物，则为象，象为南方水中之兽，水生木，取诸身则属肝肺；象之于拳法，外柔内刚，能附益肝肺[4]，活通筋络，有曲伸、卷掷之特能。故象势顺，则肺金、肝木[5]气和，血脉舒畅，精神活泼，神力倍增，而无咳嗽目疾之患。法象谬，则乾遇震，四体不得中和；乾临坤，心窍不能开朗，筋络发拘，百骸关节失灵。[6]学者宜果力精心，求其神化，证悟其理，以得其道。图解、步径列后（图 82）。

法曰

乾卦三连金木之精　退居西北因其不生

物形为象神力无穷　象形于拳身力反弓

筋络舒畅关节通灵　伸曲卷掷精炁培增

得其神化果力求精　证悟其道即见虚空

注释

① 乾三连：乾卦是由三根中间没有缺口的阳爻组成的。

② 乾卦……其性属金：乾卦象征天的形象，具有乾阳的刚健之性，它由三根阳爻组成，属于五行中的金性（阳金）。

③ 以象体言……西北阳弱之方：按它象征的形象来说，叫作天；按它代表的性情来说，叫作乾；因为它本身不能生育万物，所以退居于西北这个阳气弱的地方。（见图 51 先后天八卦合一图）

④ 附益肝肺：有益于肝肺。附益，增益。

⑤ 肺金、肝木：即肺与肝，因肺属金、肝属木，故称为肺金、肝木。

⑥ 法象谬……关节失灵：该法象练得错谬，则如果是形成“乾遇震”的病态，就会四肢不得中和；如果是形成“乾临坤”的病态，就会心窍不开，筋络拘紧，各个关节失去应有的灵活性。乾遇震，即震上乾下的“大壮”卦䷡，雷在上、天在下，指拳术过于刚猛妄动；其反面是乾上震下的“无妄”卦，即练拳术要刚柔相济。乾临坤，即乾上坤下的“否”卦䷋，天在上，地在下。阴阳不交，指练拳时上实下虚，胸紧腹松，其反面是坤上乾下的“拳”卦。

第一节　象象会意：开始

图 83　象象开始一图

无极，左足向前直进步，右足不动；左右两手，同时[①]掌心半朝上，平心口[②]向前直伸，伸至与顶相齐[③]，左掌顺鼻[④]，右掌中指、食指、无名指在左手腕下相靠；[⑤]两肱曲伸，肩松开，两股曲弓，臀坐，胯坠，足蹬力，目顺左掌心前视。[⑥]（图 83）

注 释

① 同时：于左脚进步同时。

② 平心口：从心口处。

③ 与顶相齐：与头顶相齐。

④ 左掌顺鼻：左掌与鼻在同一个前后的竖直平面内。

⑤ 右掌中指、食指、无名指在左手腕下相靠：右手中指、食指、无名指伸直，小指弯曲，靠在左手腕下。

⑥ 两肱曲伸……左掌心前视：两臂微弯，两肩松沉，两腿弯曲，臀下坐，胯松坠，脚趾抓地，眼顺着左掌心往前上看。

第二节 象象：化象

再将左足尖向外斜横进步[①]，右足仍不动；左右两掌心，同时[②]往里合劲，阴阳相合[③]，向下捋，身子亦向下伏；右手肘捋至在左膝，左手捋至在右肘下，[④]两掌心半阴阳相对[⑤]。身法右肩左膝[⑥]，两股剪子拗势[⑦]，臀后坐，头顶力，目向上视。（图84）

图84 象象二图

注 释

① 再将左足尖向外斜横进步：再左脚向前进半步，脚尖外横着落地。

② 同时：与左脚同时。

③ 阴阳相合：一阴一阳合住劲。阴阳，即左手心朝右，右手心朝左。

④ 右手肘捋至在左膝，左手捋至在右肘下：捋至右肘靠近左膝，左手在右肘下。

⑤ 两掌心半阴阳相对：两掌心半阴半阳相对，即左手心朝右下，右手心朝左下。

⑥ 身法右肩左膝：身向左下拧，成右肩左膝在前的扭身势。

⑦ 两股剪子拗势：两腿成剪子股拗步势。

第三节　象象：化象

图 85　象象三图

左足不动，右足向前直进步；两掌心相对[①]，同足进时，一齐向上伸出，[②]身子亦挺劲，右掌心半朝前，伸至左掌腕下；两肱曲伸，肩松开，两足蹬劲，两股曲弓，目顺掌前视。再向前演，两手阴阳向下捋劲，身子下伏劲，与二节二图同（图 84）；[③]再化象，三图同（图 85）。[④]左右互相化象均同，数勿拘。[⑤]一二三图，要一气呵成，不可中间断意。

注释

① 两掌心相对：即左掌心向右，右掌心向左。

② 同足进时，一齐向上伸出：于右脚进步的同时，一齐向前上发出。

③ 再向前演……与二节二图同：再往前练，两手一阴一阳向右下捋，身向右下拧伏，与图 84 相同（左右相反）。

④ 再化象，三图同：再变势，与图 85 象象三图相同。

⑤ 左右互相化象均同，数勿拘：左右变换均相同，不拘次数。

第四节　象象：化象

左足在前，右转身；右足在前，左转身。（左转回身法）右足向回扣步，足尖与左足尖相对。[①]左手同时向里拧劲，拧至手心朝上齐顶；右手向下合劲，合至左肘下。[②]左足随同前进仍顺[③]，两掌相对，亦同时拧劲向前伸出，伸至与顶相齐。[④]两肱曲伸，身腰挺力，臀下坐劲，目向左手背前视。左右回身，手、足、身、法、意均同，收势归原地休息。（图 86、图 87）

图 86　象象左转回身四图

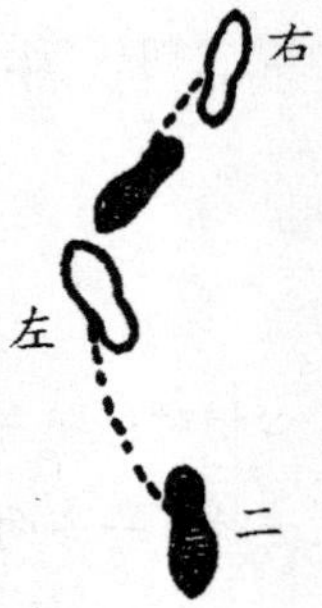

图 87　左转回身线

注释

① 右足向回扣步，足尖与左足尖相对：参看图 87 左转回身线。

② 左手同时……左肘下：此动与扣步转身同时。

③ 左足随同前进仍顺：左脚随后进步成为顺脚。

④ 两掌相对……与顶相齐：此动与左脚（回身后的）进步同时。

第六章　艮卦狮象会真

☶艮卦，山象。[1]艮，止也。[2]艮得乾之末阳，主静，其性属阳土，故居东北阳弱之方。[3]取诸身内，则为胃阳之气，以胃气滋生各脏，故象发于外，而化身万象。[4]取诸于物为猛狮，其象生威严[5]，其性最勇猛，有攫食虎豹之力，有抖毛之威。象取于身心，蕴于内者为意，意可蕴，亦可发。[6]意由心出，性由心生，性定神宁，则心藏于渊谓之聚精会神。气要绵绵，三田上下而往返，精炁透泥丸此节为禅功妙道。发于外而为狮象，以四体、百骸运用而形其象，效其神意。[7]威严猛烈，龙蹲虎坐，摇首怒目。晃身摆尾，而运尾闾；坐胯挺膝，而倒委窝[8]。神发于目，威生于爪，炁发丹田，劲起涌泉。头顶，足蹬，肩垂，两肱抱撑，神意劲力也贯爪[9]，丹田蓄炁吐气发声，鼓荡周身，吞吐惊抖，关节灵活，筋络伸缩有缠绕缩放力。动如神龙探爪，蹿似猛虎出林此法象内含龙虎二炁，故有是论，神意合一，光线芒芒[10]，长伸有攻击力大扑有擒拿力，短用有返弓力猛翻有蹦纵力。神气逼人，身力摧人，步要过人，足要踏人，手要抓人。大小关节，无处不有分争含蓄混元力，外柔内刚，外静内动，有丹田炁足之妙，有中心虚空之灵。其象顺，诚于中发于外；其象逆，而神炁亏，难入其境。学者深思格致[11]，以得其神意。图解、步径列后（图 88）。

法曰

狮象性体其灵最猛　抖毛之威虎豹心惊
取之于意心定神宁　尾闾中正精炁贯顶
炁生绵绵即是禅功　象形于拳神威爪锋
丹田蓄炁吐气发声　鼓荡周身吞吐抖惊
关节灵敏中心虚空　得其妙理法象为宗

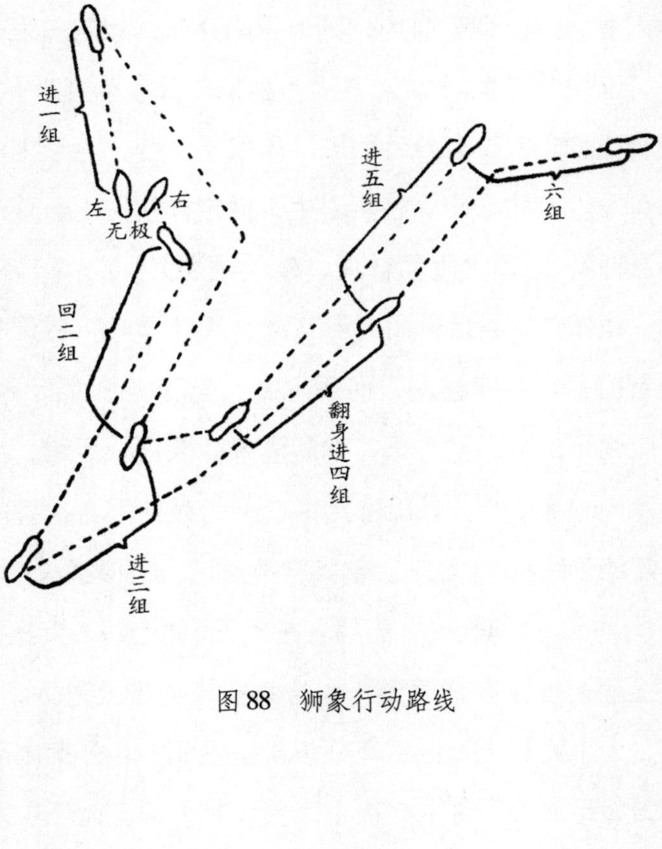

图 88　狮象行动路线

注 释

① ☶艮卦，山象：☶艮卦，象征山。

② 艮，止也：艮卦是“止”的意思。

③ 艮得乾之末阳……阳弱之方：艮卦得了乾卦的最末一根阳爻，主于静止，其性质属于五行中的阳土（坤为阴土），所以位于东北方阳气弱的地方（南方阳气强，北方阳气弱）。

④ 以胃气……化身万象：因为胃气能滋生各脏之气，所以☶卦的象表现于外，能化身为万象。以，因为。

⑤ 其象生威严：其形象生得威严。

⑥ 象取于身心……亦可发：☶卦的卦象取过来用于分析身与心，则为蕴藏在心里的意，意既可以蕴藏在心里，也可以体现在外表上。

⑦ 以四体……效其神意：以人的四肢、各关节的运动来模拟它的形象，仿效它的精神意识。

⑧ 倒委窝：倒坐窝。

⑨ 神意贯爪：用神意将劲力贯注于爪。

⑩ 光线芒芒：眼中放出威严的光芒。

⑪ 格致：练习、实验。

第一节　狮象：开始

无极，右足不动，左足向左进步[①]；左右两手，掌心半朝前[②]，同足进时，平胸猛向前一齐扑出，与心口相平[③]，两大指相对，掌有摧、搓、抓、按劲力；两肱抱撑曲伸[④]，肩窝吐气，力贯指心[⑤]。身腰挺起，两股弓曲，足指抓地。头顶，目怒，尾摇[⑥]，坐臀，精炁摧人，

目顺两大指中间前视。（图 89）

图 89　猛狮滚球一图

注 释

① 左足向左进步：左脚向左前方进步。

② 掌心半朝前：掌心半朝前、半朝下。

③ 同足进时……心口相平：于左足进步的同时，从胸部猛向前下一齐扑出，扑至与心口相平。

④ 两肱抱撑曲伸：两臂微弯，既有内抱劲，又有外撑劲。

⑤ 肩窝吐气，力贯指心：以肩催手，力贯手指和掌心。

⑥ 头顶，目怒，尾摇：顶头竖顶，睁目怒视，尾闾向左抖转。

第二节　狮象：化 象

右足向后退进步[①]，左足随向右转身大进步，进至右足前[②]；左右两手不拳回[③]，掌心向下，同足进时，用横劲挺力，往右画半弧形，[4]俟右手顺右胯时，向回拢劲合抱，抱至肘顺心口，掌心半朝上，[5]左拳亦抱劲，合力至右腕傍平肩[6]，相离七八寸，两掌半相抱，似抱球之意。身腰拧劲[7]，两股相扣合拗，目顺右肩前视[8]。(图 90)

图 90　猛狮回首抱球二图

注 释

① 右足向后退进步：先右脚外摆后撤（见图 88 狮象行动路线）。

② 左足随……至右足前：再左脚随着右后转身回扣，向（转身后的）前方大进一步到右脚前（见图 88）。

③ 左右两手不拳回：仍为掌。

④ 同足进时……画半弧形：于转身进步的同时，用横向挺劲往右划半圆形。

⑤ 俟右手顺右胯时……掌心半朝上：到右手横扫到右胯前时，往回收拢合抱，抱至右肘正对心口，掌心半朝上、半朝左。

⑥ 平肩：（左手）与肩相平。

⑦ 身腰拧劲：身腰向右拧。

⑧ 目顺右肩前视：眼顺着右肩往前看。

第三节　狮象：化象

图 91　猛狮滚球三图

左足不动，右足向右前①进步，左右两手同足进时，身腰挺劲，一齐向前，猛烈右拧②摧搓扑出，两肱曲伸，大指相对，指掌有摧搓抓按力；臀后坐劲，两股曲弓，足指抓地。头顶，怒目，摇首，摆尾③，鼓荡周身，神气逼人，目向两大指中间前视。（图 91）

注 释

① 右前：右前方。

② 右拧：身向右拧。

③ 摇首，摆尾：头向右摇转，尾向右摆转。

第四节　狮象：化象

左足在后之足向回后退进步①，右足随转身，斜横向左足前大进步。②两肱不拳回，掌心朝下，同足进时，一齐向左摇肩晃肱③，手往上起，俟至顶，斜横向前扑出，④扑至两掌在心口下，与左膝相顺⑤。左手前伸，右手在左手腕后。两肱曲弓，身腰有拧缩伏力，两股弓曲相拗。⑥头顶，怒目，顺左手背前视。（图 92）

图 92　猛狮翻身扑球四图

注 释

① 向回后退进步：向左后方外摆后撤。（见图 88 狮象行动路线“翻身进四组”）

② 右足随转身，斜横向左足前大进步：右脚随着左后转身回扣，向（转身后的）前大进一步到左脚前，外撇落地。（见图 88 狮象行动路线“翻身进四组”）

③ 一齐向左摇肩晃肱：（随着左后转身）两肩臂一齐向左逆时针横摇。

④ 俟至顶，斜横向前扑出：等手摇到头顶的高度时，向前下方扑出。

⑤ 与左膝相顺：两手在左膝前方。

⑥ 两肱曲弓……弓曲相拗：两臂微弯，身腰左拧、后缩、下伏，两腿弯曲相拗。

第五节　狮象：化象

右足不动，左足向前进步。左右两手同足进时，身腰挺劲，极力一齐猛向前平胸扑出。两掌半朝前，有摧搓抓按[1]劲力；两肱曲伸抱撑，肩窝吐气，神意贯指。头欲冲人，足欲踏人，爪欲抓人，神欲逼人，气欲摧人，摇首，摆尾，坐胯，挺膝，怒目前视。（图93）

图93　猛狮搓球五图

注 释

① 摧搓抓按：前摧、平搓、回抓、下按。

第六节　狮象：化象

左足不动，右足向右进步。左右两手阴阳相合，向左捋劲[1]，不停，同足进时[2]，向右极力猛烈扑出，与第一节开始一图同[3]。（图94）

图94　猛狮摇首扑球六图

以上六节，谓之“左开始化象[4]”。再演右化象六节[5]，为右一图之开始[6]，二、

三、四、五图⑦，手、足、身法、劲力、神意均与左化象同，收势，归于左开始一图休息。

注释

① 向左捋劲：先向左捋回。

② 同足进时：再随着进步。

③ 与第一节开始一图同：与图89猛狮滚球一图动作相同，左右相反。

④ 左开始化象：即从左脚开始的化象。

⑤ 再演右化象六节：再接练右脚开始的化象六节。

⑥ 为右一图之开始：左后回身，成为右脚一图（图89猛狮滚球一图），从右脚一图开始。

⑦ 二、三、四、五图：再经过二、三、四、五图（图90—图93）的动作。

第七章　巽卦熊象会真

☴巽下断，巽卦，风象。巽，入也。巽得坤初阴，主潜进，其性属阳木，故居东南阳盛之方。[1]其于物也为熊，熊之为物[2]，其性最钝笨，而刚直不曲，象[3]最威严，有竖项[4]之力。其象外阴而内阳，属之人身为肝，能使心中虚灵下归丹田，真精化炁，补还于脑古仙云：欲得不老，还精补脑，正是此象之要义。法象于拳，以心意效[5]其性能，有晃海下丹田腰身移山[6]两傍[7]之力，有拔山之能，斗虎之勇，抖擞之猛。其象顺，则真精化炁，穿关透顶入泥宫[8]，永无头痛肝目之症[9]；其象不顺，则真劲不能贯彻四体[10]、流通百脉，反为[11]阴火所侵，心窍不能虚空，而生头眩目晕之疾。学者于此法象，当至诚无息，以求其真意，而得之于心。图解、步径列后（图95）。

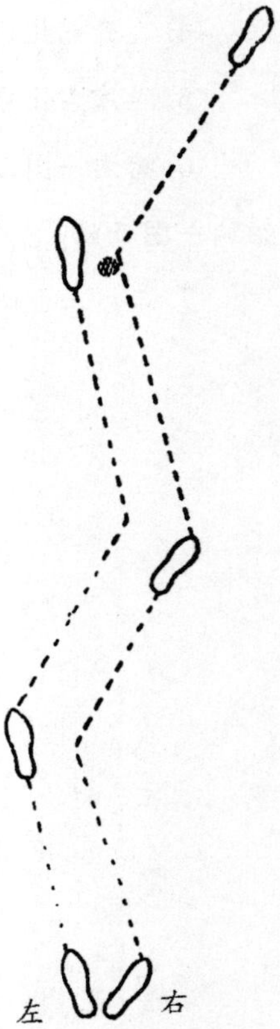

图95　熊象行步线

法曰

熊之为物其象威严　外阴内阳身中心肝

灵性下降水火往返　意效其象晃海移山

抖擞斗狠精神勇敢　真精化炁上升泥丸

流通百脉灌溉三田　得其妙道体健身安

注释

① ☴巽下断……故居东南阳盛之方：巽卦的符号特点是“巽下断”。巽卦象征风。巽是“入”的意思。巽得了坤的第一根阴爻，主于潜进，在五行中属于阴木（震为阳木），故居于东南阳气盛的地方。阳木，应为“阴木”。

② 熊之为物：熊作为一种动物。

③ 象：形象。

④ 项：颈的后部为项。

⑤ 效：仿效。

⑥ 晃海移山：晃动丹田腰身和两膀。

⑦ 傍：原文“傍”误，当为“膀”。

⑧ 穿关透顶入泥宫：穿过三关和脑顶，到达泥丸宫。三关为尾闾关、夹脊关、玉枕关。

⑨ 头痛肝目之症：头痛病和眼病。因目通于肝，故称目疾为肝目。

⑩ 四体：四肢。

⑪ 为：被。

第一节　熊象：开始

无极，左足向左进步。[1]左手同时，向左顺膝，掌心半朝上，上起推出似推物之意，肱半曲伸，肘暗含劲，指掌平肩。[2]右肱肘向里合扭力，扭至右掌心朝下，向后在胯。[3]两股势曲，头顶，晃肩，摇身，[4]挺腰，沉气，坐臀，目顺左掌大指稍前视。（图96）

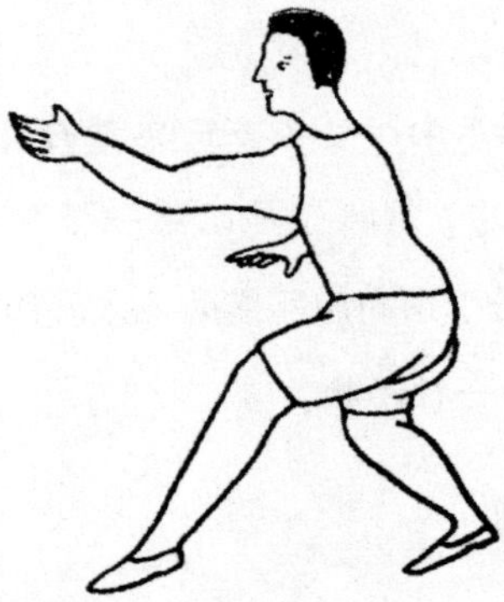

图96　老熊出洞左推山一图

注释

① 无极，左足向左进步：由无极势，左脚向左前方进步。

② 左手同时……指掌平肩：左手在左脚进步的同时，向左前方顺着左膝的方向，向前上推出，掌心半朝上、半朝右，臂半曲半直，肘含垂劲，指掌与肩相平。

③ 右肱肘……向后在胯：右臂肘向里合扭，至右掌心朝下，向后回拉在右胯处。

④ 晃肩，摇身：向左摇晃肩身。

⑤ 稍：古同“梢”。后不另注。

第二节　熊象：化象

图97　老熊化象右推山二图

左足不动，左掌向里合劲[①]，合至手心朝下，顺膝[②]下捋至左胯，手指向外扭[③]。右足提起，俟靠左足胫骨，不停，随向右进步。[④]右手亦同时向里合劲，合至掌心朝上，顺膝向右推出平肩[⑤]，肱半曲伸，肘暗含劲。摇肩，晃身，头顶，尾摆，目向右掌上视（图97）。再化象，进左足出左手，进右足出右手，左右互相化象[⑥]，手足身法神意，皆与一二图相同，数勿拘。

注释

① 合劲：合掩。

② 顺膝：顺着左膝。

③ 手指向外扭：手向里拧。

④ 右足提起……向右进步：右脚提起进步，到靠左胫骨时不停，随即向右前方进步。俟，等到。

⑤ 顺膝向右推出平肩：顺着右膝向右前上推出至与肩相平。

⑥ 左右互相化象：左右互相变换。

第三节　熊象：化象

左足在前，右转身；右足在前，左转身。（左转回身法）左足后退进步[①]，右足随转身[②]，向左足傍前进，扣步与左足成大斜八字势。左手原势，仍在左胯；右手随转身，向里合劲，合至掌心朝上齐鼻[③]，肱半曲伸，肘暗含劲，顺右膝，[④]目向左斜上视。再化象，右掌下落，左掌上起推出，仍归原象。左右回身法依此，收势原地[⑤]，休息。（图98、图99）

图98　老熊左转身望日三图

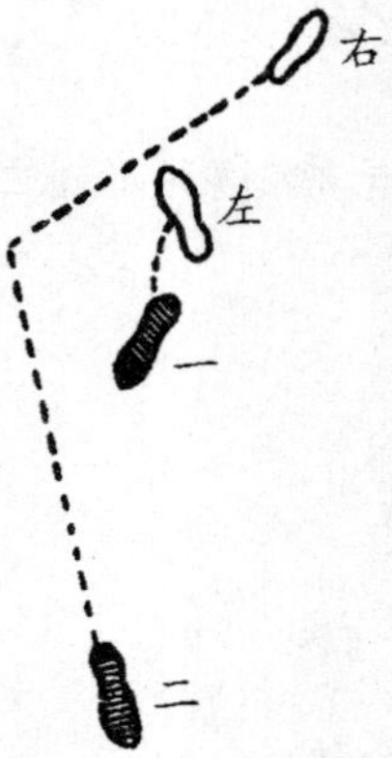

图99

注 释

① 左足后退进步：先左脚后撤少半步摆落。

② 右足随转身：再右脚随着转身。

③ 合至掌心朝上齐鼻：合抱至掌心朝上，与鼻相齐。

④ 肘暗含劲，顺右膝：肘暗含垂裹劲，与右膝相顺。

⑤ 收势原地：收势于原地。

第八章　坤卦猿象会真

☷坤六断，坤卦，地象，顺阴之性也，其性属阴土。[①]以象体言，谓之坤；以性情言，谓之地。其于物也为猿，性最机警而灵巧，有纵跳之神[②]，伸缩之法，化身变象不测之妙。取之于身内为心，心为一身之主宰，心定则神宁，心动则变化万象[③]。猿性好动而无定，人心好动，出入无时，莫知其乡，[④]取名心猿，正[⑤]此义也。《道经》有言："锁住心猿为修性，拴住意马为立命。"譬喻至[⑥]为显著。象形于拳，其功用，有封猴挂印之精，有偷桃、上树、坠枝之性，有返身旋转，三闪六躲之灵。法象顺，则心内虚空，而神炁圆满，身轻体健，动转灵活；法象逆，则心窍不开，灵光不生，骨节失灵，四体失和，迄无[⑦]学成之一日焉。学者倘[⑧]虚心诚意，仿之，效之，积久而神意逼真，其象成矣。图解、步径列后（图100）。

法曰

猿之为物其性最灵　　三闪六躲天生奇能

法象于拳踪[⑨]跳身轻　　取诸人身心无定形

心若大定即得禅功　　至诚无息法象神通

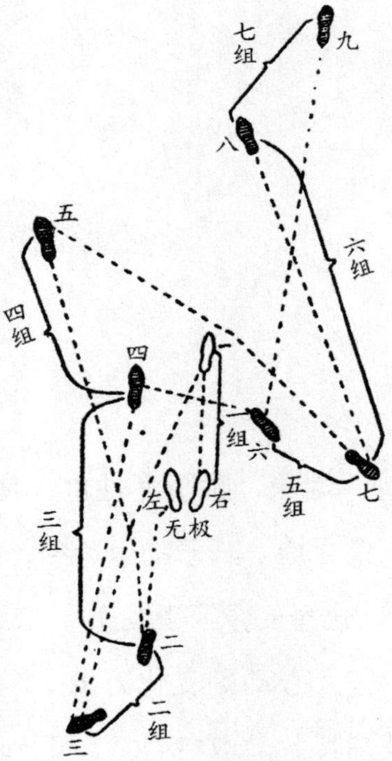

图 100　猿左右化象路线

注 释

① ☷坤六断……其性属阴土：坤卦☷的符号特点是“坤六断”，坤卦象征地，是表示地的阴性。在五行中属于阴土（艮是阳土）。

② 神：神技。

③ 变化万象：变化出各种形象。

④ 出入无时，莫知其乡：其进出没有固定的时间和方向。这里是说，人心里的杂念的产生和消失及其指向没有规律可循。乡，同“向”。《孟子·告子上》：“孔子曰：‘操则存，舍则亡，出入无时，莫知其乡。’惟心之谓与?”

⑤ 正：正是。

⑥ 至：最。

⑦ 讫无：终无。讫，音 qì，毕竟，终究。

⑧ 倘：倘若，如果能。

⑨ 踪：原文“踪”误，当为“纵”。

第一节　猿象：开始

无极，左足不动，右足向前进步。左右两手，同足进时，掌心朝下，一齐上起，向前极力出伸，右手伸至过顶[①]，左手伸在右手腕后。肩松开，肱曲伸[②]，五指张开抓力。两股势曲，足指蹬力，臀坐，尾摆，摇肩，晃身，头顶，目瞪，眼顺右手背前视。（图 101）

图 101　老猿挂印一图

注 释

① 过顶：超过头顶。

② 肱曲伸：臂微弯。

第二节　猿象：化象

左转身。左足向后退进步，右足尖斜横，向左转身进步着地，两股相拗。[①]左右两手亦同时往回捋劲，俟右足着地不停，顺左膝向前直伸，手心朝下。[②]右手心朝下伸至掌在左肘，身腰向下伏劲，头向后扭，目向后上视。（图 102）

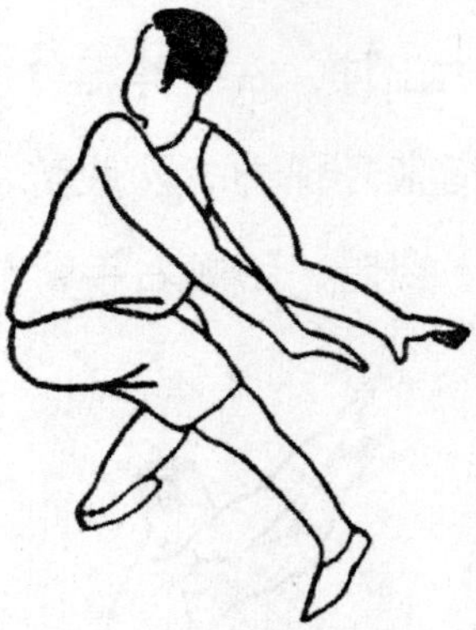

图 102　老猿转身回首望月二图

注 释

① 左足向后……两股相拗：先左脚后撤一步，外摆约 180 度落地。再右脚随着左后转身，向左脚前（转身后的“前”）进一大步，外横着落地。（见图 100 猿左右化象路线）。两腿互相拗住。

② 左右两手……手心朝下：两手也在转身进步的同时往回捋，等右脚着地时不停，紧接着顺左膝方向向前一直伸出，手心仍朝下。

第三节　猿象：化象

左足稍动，右足回退，向前进步。[1]左右两手阴阳相合捋劲，俟右足前进着地时，一齐向前伸开，不停，再向右扭，扭至左手心朝上，齐鼻，右手扭至掌心朝外，齐眉。[2]两肱皆半圆弓，两股弓曲相拗，法象左肩右膝，身腰拧力，目顺左掌上视。[3]（图 103）

图 103　老猿坠枝摘果三图

注释

① 左足稍动……向前进步：左脚里扣约 135 度，随着右后转身，右脚先退回，再进步到左脚前（转身后的“前”）。

② 左右两手……齐眉：两手一阴一阳相合，随着右后转身先捋回后送出，等右脚进步着地时一齐向前伸出，不停，继续随着右拧身向右上扭送，扭送至左手心朝上，与鼻对齐，右手心朝外，与右眉相齐。

③ 两肱皆半圆弓……目顺左掌上视：两臂都呈半圆形，两腿弯曲相拗，成左肩右膝在前的拗步扭身结构，身腰向右拧转，两眼顺着左掌往前上方看。

第四节　猿象：化象

右足不动，左足直向前进步[1]。左右两手，阴阳下合，一齐向左拧，至右肘顺左膝，掌心朝上齐鼻，左肘拧至平肩，掌朝外齐眉。[2]此两手法不停，左手下合，顺右肱向前直伸过顶，手心朝下；右手里合，手心朝下，回拉至左腕后、肘前。[3]两肱直伸，指爪有抓力。摇肩，晃身，目顺左手背上视，与第一节开始一图同[4]。以上四节谓之右开始[5]（图 104）。再演左化象四节，为左一图之开始，二、三、四图，手法、身法、神意均与右化象同，收势归于右开始一图，休息。[6]

图 104　老猿抖身四图

注释

① 左足直向前进步：左脚进步到右脚前。

② 左右两手……掌朝外齐眉：两手一阴一阳，一齐向下合、向左拧，拧至右肘与左膝相顺，掌心朝上，与鼻对齐，左肘与右肩相平，掌心朝外，与左眉相齐。

③ 此两手法……左腕后、肘前：紧接上动，左手往下合，顺着右臂向前上穿出至超过头顶，手心朝下；右手向里合（小臂内旋）至手心朝下，往回拉至左手腕后、左肘前。

④ 与第一节开始一图同：与第一节“图 101 老猿挂印一图”相同，但左右相反。

⑤ 以上四节谓之右开始：以上四节叫作“从右脚开始的猿象化象”。

⑥ 再演左化象……休息：再练从左脚开始的猿象化象四节，从左势一图（即本节“图 104 老猿抖身四图”）开始，接练二、三、四图（图 102、图 103、图 104，左右相反），手法、身法、神意都与从右脚开始的猿象化象相同，收势归于右开始一图（即第一节“图 101 老猿挂印一图”），休息。

新书预告

武学名家典籍丛书

孙禄堂武学集注

（形意拳学　八卦拳学　太极拳学　八卦剑学　拳意述真）

孙禄堂　著　　孙婉容　校注　　定价：288 元

杨澄甫武学辑注

（太极拳使用法　太极拳体用全书）

杨澄甫　著　　邵奇青　校注　　定价：178 元

陈微明武学辑注

（太极拳术　太极剑　太极答问）

陈微明　著　　二水居士　校注　　定价：218 元

（第一辑）

李存义武学辑注

（岳氏意拳五行精义　岳氏意拳十二形精义　三十六剑谱）

李存义　著　　阎伯群　李洪钟　校注　　定价：258 元

张占魁形意武术教科书

张占魁　著　　吴占良　校注

薛颠武学辑注

（形意拳术讲义上编　形意拳术讲义下编　象形拳法真诠　灵空禅师点穴秘诀）

薛　颠　著　　王银辉　校注　　　　　　　　　　定价：348 元

（第二辑）

陈鑫陈氏太极拳图说（配光盘）

陈　鑫　著　　陈东山　陈晓龙　陈向武　校注

董英杰太极拳释义

董英杰　著　　杨志英　校注

许禹生武学辑注

（太极拳势图解　陈氏太极拳第五路　少林十二式）

许禹生　著　　唐才良　校注

（第三辑）

李剑秋形意拳术

李剑秋　著　　王银辉　校注

刘殿琛形意拳术抉微

刘殿琛　著　　王银辉　校注

靳云亭武学辑注

（形意拳图说　形意拳谱五纲七言论）

靳云亭　著　　王银辉　校注

（第四辑）

武学古籍新注丛书

王宗岳太极拳论

李亦畬　著　　二水居士　校注　　定价：50 元

太极功源流支派论

宋书铭　著　　二水居士　校注　　定价：68 元

太极法说

二水居士　校注　　定价：65 元

（第一辑）

手战之道

赵　晔　沈一贯　唐顺之　何良臣　戚继光　黄百家　黄宗羲　著

王小兵　校注

（第二辑）

百家功夫丛书

张策传杨班侯太极拳 108 式　（**配光盘**）

张　喆　著　　韩宝顺　整理　　定价：48 元

河南心意六合拳　（**配光盘**）

李洳波　李建鹏　著　　定价：79 元

（第一辑）

形意八卦拳

贾保寿　著　　武大伟　整理　　定价：49 元

张鸿庆传形意拳练用法释秘	邵义会　著
王映海传戴氏心意拳精要	王映海　口述　　王喜成　主编
戴氏心意拳功理秘技	王　毅　编著

（第二辑）

华岳心意六合八法拳	张长信　著
程有龙传震卦八卦掌	奎恩凤　著
杨振基传太极拳内功心法	胡贯涛　著
刘晚苍内家功夫及手抄老谱	刘晚苍　刘光鼎　刘培俊　著

（第三辑）

民间武学藏本丛书

守洞尘技	崔虎刚　校注
通臂拳	崔虎刚　校注
心一拳术	李泰慧　著　　崔虎刚　校注
六合拳谱	崔虎刚　校注
少林论郭氏八翻拳	崔虎刚　校注

（第一辑）

心意拳术学	戴　魁　著　　崔虎刚　校注
武功正宗	买壮图　著　　崔虎刚　校注
太极纲目	崔虎刚　校注
神拳拳谱	崔虎刚　校注
精气神拳书·王堡枪	崔虎刚　校注

（第二辑）

老谱辨析点评丛书

再读浑元剑经　马国兴　著

再读王宗岳太极拳论　马国兴　著

再读杨式老谱　马国兴　著

再读陈氏老谱　马国兴　著

（第一辑）

民国武林档案丛书

尚武一代——中华武士会健者传　阎伯群　编著

太极往事　季培刚　著

（第一辑）

拳道薪传丛书

三爷刘晚苍——刘晚苍武功传习录

刘源正　季培刚　编著　定价：54 元

慰苍先生金仁霖——太极传心录　金仁霖　著

习武见闻与体悟　陈惠良　著

（第一辑）

图书在版编目(CIP)数据

薛颠武学辑注. 象形拳法真诠/薛颠著; 王银辉校注. ——北京:北京科学技术出版社, 2017. 1

ISBN 978 - 7 - 5304 - 8439 - 5

Ⅰ. ①薛… Ⅱ. ①薛… ②王… Ⅲ. ①武术 - 研究 - 中国 ②象形拳 - 研究 - 中国 Ⅳ. ①G852

中国版本图书馆 CIP 数据核字(2016)第 132122 号

薛颠武学辑注——象形拳法真诠

作　　者:薛　颠
校 注 者:王银辉
策　　划:王跃平　常学刚
责任编辑:李金莉　苑博洋
责任校对:贾　荣
责任印制:张　良
封面设计:张永文
封面制作:木　易
版式设计:王跃平
出 版 人:曾庆宇
出版发行:北京科学技术出版社
社　　址:北京西直门南大街 16 号
邮政编码:100035
电话传真:0086 - 10 - 66135495(总编室)
0086 - 10 - 66113227(发行部)　0086 - 10 - 66161952(发行部传真)
电子信箱:bjkj@ bjkjpress. com
网　　址:www. bkydw. cn
经　　销:新华书店
印　　刷:保定市中画美凯印刷有限公司
开　　本:787mm × 1092mm　1/16
字　　数:196 千字
印　　张:25
版　　次:2017 年 1 月第 1 版
印　　次:2017 年 1 月第 1 次印刷
ISBN 978 - 7 - 5304 - 8439 - 5/G · 2479

定　　价:108. 00 元